déclic

Méthode de français

1

Jacques Blanc
Jean-Michel Cartier
Pierre Lederlin

CLE
INTERNATIONAL

Tableau des contenus

N° et type d'unité	Titre	Objectifs communicatifs	Thèmes	
1	C'est parti !		• Le français (mots passés dans d'autres langues, mots venus d'autres langues), la France, la classe de français	
2	Tu parles français ?	• Prendre contact	• Les rencontres avec un étranger	
3	Salut !	• Saluer ; demander comment ça va	• Les rencontres entre jeunes	
4	Je m'appelle Élodie	• Se présenter (entre jeunes)	• Les rencontres entre jeunes	
5	La valise grise (premier épisode)	• Se présenter (entre adultes)	• Les rencontres entre adultes	
6	Moi, j'ai...	• Parler des objets qu'on possède, en mentionner le nombre	• Les objets et animaux familiers	
7	Il est là !	• Demander / donner des informations sur la localisation	• La maison	
8	Les quatre saisons	• Demander / donner des informations sur le temps le climat, sur l'état physique	• L'état physique, la météo, les éléments	
9	La valise grise (deuxième épisode)	• Demander / donner des informations : localiser, exprimer son ignorance	• La localisation en ville (1)	
10	C'est en France	• Situer, décrire un lieu / expliquer où se trouve un lieu. Demander son chemin.	• La localisation (2), déplacements et transports	
11	Tu aimes... ?	• Apprécier, comparer	• Les informations personnelles ; les goûts	
12	Tu as une grande famille ?	• Décrire physiquement, présenter	• La famille, l'âge	
13	Tous les jours	• Demander / donner des informations sur la vie quotidienne, l'emploi du temps	• Les informations personnelles : l'emploi du temps	
14	La valise grise (troisième épisode)	• Demander / donner des informations sur son état de santé	• Les informations personnelles (santé), prescriptions médicales	
15	Bon appétit !	• Demander / donner des informations sur ses habitudes	• L'alimentation, l'emploi du temps	

Séquence 1 : unités 1–5
Séquence 2 : unités 6–10
Séquence 3 : unités 11–15

Grammaire et actes de langage	Phonétique / Prosodie
• Je / tu (+ « être » et « parler ») • Oui / non • Masculin et féminin des adjectifs (de nationalité)	• Intonation interrogative / affirmative (1), • terminaison phonétique des adjectifs de nationalité
• Ça va ? Bien... mal, etc. • L'alphabet	• Intonation interrogative / affirmative (2) et exclamative
• D'où ? de / d'+ ville • Pour épeler : accents, apostrophe, cédille, majuscule... • Ne... pas (+ s'appeler)	• Intonation (3) • L'alphabet (classement phonétique)
• Conjugaison de être, faire, s'appeler, habiter • Masculin et féminin des professions. • Pour saluer. Tu / vous – singulier/pluriel.	• Opposition [u] / [y] • Cas de non prononciation du e en français familier
• Conjugaison de avoir au présent • Et (coordination). Un / une / des / combien / pas de • Nombres de 1 à 50. Plus et moins	• Opposition [ʒ] / [ʃ]
• Conjugaison de voir et savoir • Localisation : où ? À gauche, droite... • Qu'est-ce que, quoi ? • Le / la / l' + a, e, i, o u • Le / la / les / un / une / des / quel / quelles	• Opposition [s] / [z] • Intonation (4)
• En / au + noms de pays • Oui, non, si. • C'est quand ? À quelle date, les mois de l'année et les saisons	• Opposition [w] / [ɥ]
• Pour demander un renseignement : où ? au coin / à côté / en face • Il y a. Articles définis / indéfinis, articles contractés du, de la, des • Nombres de 50 à 1 000	• Opposition [v] / [f] • Intonation (5)
• Aller au / à la / à l' • Y pronom de lieu • Comment ? En voiture, à pied.... Où ? À 100 m, près de, loin de... • Nombres ordinaux	• Opposition [ɛ̃] / [ã] / [õ]
• Pour dire ses préférences : aimer, préférer / un peu, beaucoup, pas du tout. Conjugaison de s'ennuyer. • Pourquoi ? Parce que • Accord et place des adjectifs, comparatif	• Liaisons (1)
• Conjugaison de connaître, vouloir, dire • Adjectifs possessifs, on / nous. Tournures interrogatives • Pour parler de l'âge.	• Opposition [ø] / [œ] • Prononciation de six, dix, neuf, et vingt
• Conjugaison de croire, lire, vivre, partir, sortir, dormir et se lever • Pour demander / dire l'heure. Situer dans le temps : avant, après... • Tout, toute, tous, toutes. • Les négations : ne... jamais, ne... ni... ni...	• Prononciation des jours de la semaine
• Conjugaison de boire, se sentir, devoir et pouvoir. Mieux • Pour conseiller : il faut, devoir. Beaucoup, trop, pas assez • Depuis quand / combien de temps ? Avoir mal. Les parties du corps.	• Intonation (6) : l'insistance
• Conjugaison de acheter, attendre, venir • Les articles partitifs. Le pronom en. • Pour conseiller : l'impératif. • Quantités : combien de, peu de, un peu de, beaucoup de ...	• Comptine

● Une méthode d'enseignement du français langue étrangère à des adolescents débutants complets :
  - trois niveaux (de 15 unités) pour une utilisation de 90 à 120 heures pour chaque niveau ;
  - trois séquences par niveau : chaque séquence regroupe 5 unités autour d'objectifs affichés en tête des séquences. Une page d'évaluation en fin de séquence permet de vérifier que les objectifs ont été atteints ;
  - des pages DELF présentes dans chaque séquence et des précisions dans le livre du professeur permettent une préparation efficace au DELF scolaire (A1 et A2).

● Trois types d'unités :
  - des unités à dominante « Tu » (illustrées surtout par des dessins) qui présentent les interactions entre jeunes ;
  - des unités à dominante « Vous » (illustrées par une histoire policière en bande dessinée) introduisent les interactions avec des adultes et entre adultes ;
  - des unités à dominante « Ils » (illustrées surtout par des photos). Les unités « Tu » et « Vous » permettent de « parler à... » (interactions), les unités « Ils » proposent de « parler de... » (décrire, présenter)

● Cinq étapes pour chaque unité :
  - une double-page d'introduction des nouveautés (dialogues, bandes dessinées ou textes) ;
  - « Écoute ! » : le travail sur la phonétique et la prosodie ;
  - « Je t'explique... » : les outils (grammaire, vocabulaire, actes de paroles) objets de l'unité ;
  - « À toi de parler ! » : le travail d'acquisition systématique (oral) de ces outils ;
  - « À toi de jouer ! » : activités ludiques de mise en œuvre, jeux, prises de paroles, jeux de rôles, actes communicatifs écrits.

Des pages de lecture pour le simple plaisir de lire et de comprendre : d'abord une histoire à épisodes en bande dessinée (*Mémo*), ensuite des pages de textes au niveau de compréhension adapté.

Des pages *Civilisation* pour compléter les savoirs culturels présentés dans les unités.

Un repérage des activités spécifiques d'entraînement au DELF (ED) ou susceptibles de faire partie d'un *Portfolio* (PF)

Un *Cahier d'activités* riche et varié complète le manuel et propose de nombreuses activités complémentaires écrites et d'écoute.

Des enregistrements qui, pour de nombreuses activités, soulignent le choix fait de présentation d'une langue proche de l'authentique (les expressions argotiques sont précédées d'un *).

Un livre du professeur complet donne à l'enseignant des idées d'utilisation, des réponses, des corrigés, des explications sur les documents utilisés, les photos présentées.

Une méthode motivante par la variété de ses activités,
l'attrait des fictions

Une méthode claire par sa présentation

Une méthode efficace :
- les savoir faire communicatifs sont privilégiés, en particulier par la place importante donnée aux activités orales ;
- les compétences sont évaluées et constatées pas à pas

Séquence

1

objectifs

1. Prendre contact avec le français, avec la classe de français, découvrir la France

2. Demander et donner des informations sur les nationalités, informer et s'informer sur les compétences linguistiques

3. Saluer, demander et répondre comment on va, remercier

4. Se présenter entre jeunes, dire comment on s'appelle, donner des informations sur sa provenance et sur ses compétences linguistiques, épeler

5. Saluer, se présenter entre adultes, dire comment on s'appelle, donner des informations sur sa provenance, demander et dire quelle est son activité

‐ ‐ ‐ > 🖐 **C'est parti !**

Le français

1 **Écoutez et repérez**

Montrez le numéro qui correspond
à ce que avez entendu.

2 **Écoutez et traduisez**

Ces 15 mots ressemblent à des
mots de votre langue ou d'une
autre langue que vous connaissez. Écrivez la traduction dans
votre langue.

3 **Repérez et traduisez**

Ces 11 mots ressemblent à des mots de votre langue ou d'une autre langue que vous
connaissez. Écrivez la traduction dans votre langue.

Une catastrophe : ....

Un choc : ....

Une classe : ....

Un tunnel : ....

Du gaz : ....

Un détective : ....

Un garage : ....

Un théâtre : ....

Du métal : ....

Un climat : ....

Un stylo : ....

La France

4 Regardez la carte de France au début du manuel et complétez.

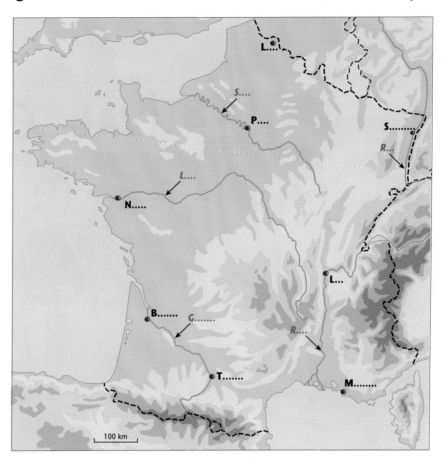

La classe de français

5 Écoutez et faites correspondre ce que vous entendez avec les phrases écrites.

Écoutez !
Bonjour
Au revoir
Merci
Vous comprenez ?
Je ne comprends pas
Regardez
Répétez
Répondez
Écrivez
Jouez à deux
Encore une fois
S'il vous plaît

Activités complémentaires voir *Cahier d'activités* p. 4 à 5

☝ Tu parles français

1
— Tu es français ?
— Non, je suis espagnol.
— Ah ? Moi, je suis italien.

2
— Et toi, tu es française ?
— Non, anglaise.
— Moi, je suis allemande.

3 — Tu parles français ?
— Oui, un peu.

4 — Prêts ?
Alors, on y va !

Tu parles français ?

Écoute !

—*Tu es français ?* ↗
—*Non, je suis anglais.* ↘
—*Tu parles français ?* ↗
—*Oui, un peu.* ↘

[wa]	suédois chinois	[jɛ̃]	italien brésilien
[waz]	suédoise chinoise	[jɛn]	italienne brésilienne

[ɛ]	français anglais	[ɛz]	française anglaise	[ɛ̃]	américain mexicain	[ɛn]	américaine mexicaine

Je t'explique...

→ je / tu

je suis   je parle
tu es   tu parles
on est   on parle

→ oui / non

— Tu es français ?   — Non, je suis italien.
— Tu parles français ?   — Oui, un peu.

→ Je suis français

Je suis brésilien.

• *français, portugais…*
• *américain, marocain, mexicain…*
• *italien, canadien, vénézuélien, brésilien, uruguayen, européen…*

• *suédois, danois…*
• *allemand, espagnol…*
• *suisse, belge…*
• *grec, turc…*
• *argentin…*

→ Je suis française

• *française, portugaise…*
• *américaine, marocaine, mexicaine…*
• *italienne, canadienne, vénézuélienne, brésilienne, uruguayenne, européenne…*
• *suédoise, danoise…*

• *allemande, espagnole…*
• *suisse, belge…*
• *grecque, turque…*
• *argentine…*

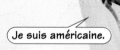

Je suis américaine.

À toi de parler !

❶ Tu es français ?
— Tu es français(e) ?
— Non, je suis italien(ne).
— Tu parles français ?
— Oui, un peu.

français(e) → anglais(e), espagnol(e)…
italien → allemand, américain…

❷ Tu es française ?
— Tu es français(e) ?
— Non, je suis mexicain(e).
— Ah ? Alors tu parles espagnol ?
— Oui, bien sûr.
— Et tu parles français !
— Oui, un peu.

français/française → anglais/anglaise…
mexicain → vénézuélien (ne)/brésilien(ne)…
espagnol → anglais, allemand, portugais…

Activités complémentaires voir *Cahier d'activités* p. 6 à 7

À toi de **jouer !**

Tu parles français ?

1 **Nationalités**

🎧 **Écoutez et cochez la bonne réponse.**

	M	F	?			M	F	?
1. Tu es française ?	☐	☐	☐	**5.** Tu es…	☐	☐	☐
2. Tu es…	☐	☐	☐	**6.** Tu es…	☐	☐	☐
3. Tu es…	☐	☐	☐	**7.** Tu es…	☐	☐	☐
4. Tu es…	☐	☐	☐	**8.** Tu es…	☐	☐	☐

2

Reconstituez la conversation puis écoutez-la et jouez-la.

MARC — Ah ! Moi, je parle un peu italien.

HANSI — Et allemand ?

HANSI — Non, je suis suisse.

MARC — Non.

HANSI — Oui, français, allemand et italien.

MARC — Suisse ? Et tu parles français ?

MARC — Toi, tu es allemand, non ?

3 **Contact !**

JE SUIS BELGE. JE PARLE FRANÇAIS, NÉERLANDAIS ET ALLEMAND. ET TOI, TU ES QUOI ?

MOI, JE SUIS DANOIS. MAIS JE PARLE SUÉDOIS, FINNOIS ET UN PEU CHINOIS.

ON EST FRANÇAIS, MAIS ON PARLE ANGLAIS ET UN PEU ITALIEN.

Pièces jointes : *Ancienne*

Police par défaut ▾ Taille du texte ▾ G I S T

Bonjour,

Je m'appelle Éric Van Houtte.
Je suis belge, de Bruxelles. Je parle
français, néerlandais et un peu
allemand. Je ne parle pas anglais

🗣 Et vous, vous êtes quoi ?
Vous parlez quoi ?

✍ Présentez-vous sur Internet.

4 **Qu'est-ce qu'ils peuvent dire ?**

🗣 **Faites-les parler.**

Salut !

1
— Salut Guillaume !
— Salut Clément !

2
— Salut Vincent, ça va ?
— Ça va !

4
— Ça va ?
— Ça va bien, et toi ?
— Moi ? Pas mal, merci !

5
— Ça va, Mathieu ?
— Non ! Ça ne va pas !

3
— Salut Aurélie !
— Tiens, salut Antoine !

6
— Oh, ça va mal !
— Oui, ça va très mal !

Écoute!

—Ça va? ↗   — Salut!
—Ça va bien? ↗   — Tiens, salut!
—Ça va! ↘   — Tiens! Salut Aurélie!
—Ça va bien! ↘   — Tiens, salut Aurélie! Ça va?

Je t'explique...

→ Ça va?

Poser la question		Répondre		
		oui		**non**
Ça va?	→	Ça va!	→	Ça ne va pas! *Ça va pas!
Ça va bien?	→	Ça va bien!	→	Ça va mal!
Tu vas bien?	→	Ça va très bien!	→	Ça va très mal!
	→	Très bien	→	Ça ne va pas très bien!
	→	Pas mal!	→	Pas très bien!
	→	Pas mal, et toi?		

→ Pour épeler: l'alphabet

A	comme	Amandine Arnaud…	N	comme	Nicole, Nicolas…
B	comme	Béatrice, Benoît…	O	comme	Odile, Olivier…
C	comme	Céline, Clément…	P	comme	Pauline, Paul…
D	comme	Dorothée, Damien…	Q	comme	Quentin…
E	comme	Émilie, Éric…	R	comme	Reine, Romain…
F	comme	Fanny, Florian…	S	comme	Sophie, Sébastien…
G	comme	Gaëlle, Guillaume…	T	comme	Tatiana, Thibault…
H	comme	Hélène, Hugo…	U	comme	Ursula…
I	comme	Isabelle…	V	comme	Valérie, Vincent…
J	comme	Julie, Julien…	W	comme	William…
K	comme	Karine, Kévin…	X	comme	Xavier…
L	comme	Léa, Loïc…	Y	comme	Yasmina…
M	comme	Marie, Maxime…	Z	comme	Zoé…

À toi de parler!

1 Tiens, salut!
— Salut Clément, ça va?
— Tiens, salut Fanny! Ça va, et toi?
— Ça va!

Clément → Loïc, Arnaud…
Fanny → Amandine, Sophie…

2 Ça va?
— Ça va, Loïc?
— Oui, ça va.

Loïc → Guillaume, Léa…

Activités complémentaires voir *Cahier d'activités* p. 8

À toi de jouer !

1 Rencontre 1

✎🗣️🗣️ **Complétez et jouez la conversation à deux.**

—Salut !

—…, salut.

—Ça va …?

—Euh…, pas … bien … toi ?

—…? Pas … !

2 Rencontre 2

✎ **Reconstituez les répliques :**

— toi ? / mal, / et / Pas ....

— Léa. / Salut, ...

— bien ? / va / Ça ....

— pas. / ça / Moi, / va / ne ....

— Arnaud. / tiens ! / Ah, / Salut, ...

✎ 🗣️🗣️ **Reconstituez la conversation, puis jouez-la.**

1. ....
2. ....
3. ....

4. ....
5. ....

🗣️ **Maintenant, écoutez-la.**

3 Rencontre 3

 Faites-les parler (à jouer à deux).

4 Rencontre 4

— Ça va, Thomas ?

— Ça va bien, Martin. Et Pascal ?

— Pascal ? Ça va très mal !

— Et Nicolas ?

— Nicolas, ça ne va pas.

— Et toi, Marie ?

— Moi, ça va, merci !

🗣️ **Mémorisez ce texte et jouez-le à deux (avec les gestes).**

Autres activités voir *Cahier d'activités* p. 9

Je m'appelle Élodie

1
— Salut !
— Salut ! Je m'appelle Élodie.
— Élodie comment ?
— Élodie Martin.
— Martin ?
— Oui, c'est ça.

2
— Salut, je m'appelle Pierre Lantier.
  Et toi, tu t'appelles comment ?
— Julie. Julie Dieudonné-Peyrard.
— Pardon ? Julie comment ?
— Dieudonné-Peyrard. Oui, ça s'écrit :
  D-I-E-U-D-O-N-N-É, P-E-Y-R-A-R-D. Tu comprends ?
— Oh, là, là !

3
— Tu es français, Pierre ?
— Non, je suis canadien. Et toi ?
— Moi, je suis française.
— Tu n'es pas française, toi !
— Si ! Et je suis d'Ouanary,
  guyanaise, quoi !
  Et toi, tu es d'où ?
— Moi, je suis de Trois-Rivières,
  québécois, quoi !

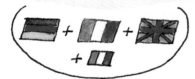

4
— Tu es anglaise, Diana ?
— Non, pas anglaise, hollandaise.
— Ah bon, tu es hollandaise ! D'où ?
— D'Amsterdam. Tu parles néerlandais, toi ?
— Euh, non. Je ne parle pas néerlandais.
  Je comprends un peu. Je parle allemand :
  je suis allemand ! Je suis de Berlin.
— Tu parles allemand et français : c'est bien.
  Et tu parles d'autres langues ?
— Euh oui, je parle anglais et un peu italien.

ÉCOUTE!

— *Tu t'appelles comment?*

— *Je m'appelle Julie!*

— *Je suis canadien, et toi?*

— *Moi, je suis française.*

— *Tu es de Paris?*

— *Non, je suis d'Avignon! Et toi, tu es d'où?*

— *Moi, je suis de Montréal!*

[a]	A H K
[i]	I J X Y
[o]	O
[y]	U Q

[œ]	E
[ɛ]	F L M N R S Z
[e]	B C D G P T V W

Je t'explique...

➜ *Tu es d'où?*

D'où es-tu? / Tu es d'où?

Je suis de Paris,	*Je suis d'Avignon,*
Lyon,	*Évian,*
Londres,	*Amsterdam,*
Berlin,	*Oxford,*
Rome...	*Helsinki...*

➜ Comment ça s'écrit en français...?

é = *e accent aigu*

è = *e accent grave*

â = *a accent circonflexe*

ç = *c cédille*

´ = *apostrophe*

m = *m minuscule*

M = *m majuscule*

- = *trait d'union*

ll = *deux l; nn = deux n*

— « *Charlotte* », *ça s'écrit avec deux* « *t* », *en français.*

— « *Appeler* » *s'écrit avec un* « *l* », *mais* « *Je m'appelle* », *ça s'écrit avec deux* « *l* ».

— *Oui, comme* « *épeler* »: *c'est avec un* « *l* » *mais on écrit* « *j'épelle* », *avec deux* « *l* » !

➜ ne... pas

— *Tu t'appelles Adeline?*
— *Mais non, je **ne** m'appelle **pas** Adeline!*
  Je m'appelle Amandine!

— *Tu es française?*
— *Mais non, je **ne** suis **pas** française!*
  Je suis suisse!

— *Tu parles espagnol?*
— *Mais non, je **ne** parle **pas** espagnol!*
  Je parle italien!

À toi de parler !

1 S.O.S. !

— Euh… tu comprends ça?
— S - O - S? Oui, bien sûr!
— S - O - S! Ah! D'accord!

SOS → ONU, UE, USA, TGV, AFP, ANPE, HLM, RER, OMS, TVA, OCDE, SNCF, KLM, CFF, STCUM, STIB, SMS…

2 Comment ça s'écrit ?

— Annecy, comment ça s'écrit?
— Ça s'écrit A - deux N - E - C - Y.

Annecy → Chalon-sur-Saône, Bruxelles, Guebwiller, Romorantin, Belle-Île, Pont-de-l'Arche, Biarritz, Abidjan, Yaoundé, Ouagadougou, Brazzaville, Québec…

3 L'alphabet des villes

« A comme Amiens, B comme Bordeaux, C comme Clermont- Ferrand… »

> *Regardez la carte d'Europe à la fin du livre et essayez de continuer la liste*

4 Tu es d'où, toi ?

— Tu es d'où, toi?
— Moi, je suis français, je suis de Paris.

F [♂] Paris → D [♂] Berlin, GB [♀]
Londres, I [♀] Rome, USA [♂]
Washington, E [♀], Madrid, N [♀] Oslo

5 Tu es français ?

— Tu es français?
— Non, je ne suis pas français, je suis italien.

français / italien → américain(e) / anglais(e), espagnole) / portugais(e), norvégien(ne) / danois(e), allemand(e) / suédois(e), canadien(ne)…

Activités complémentaires voir *Cahier d'activités* p. 10 à 11

À toi de
jouer !

Je m'appelle Élodie

1 Comment ?

 **Regardez l'illustration, jouez puis imaginez d'autres conversations.**

Marcel Pagnol / espagnol
→ Nicolas Langlais / anglais,
Jessica Nadienne / canadienne,
Chantal Mandes / allemande,
Jeanne-Marie Kaines / américaine,
Alex Hiquin / mexicain,
Julie Taliène / italienne,…

2 Puzzle

 Reconstituez les phrases.

A. s'écrit se tu ça comme Ça comprends ? prononce,

B. ne espagnol, je suis parle Je espagnol. mais pas

C. Anglais anglais ? appelles es ou t' Tu tu

3 Rencontre

Reconstituez la conversation et jouez-la, puis écoutez-la.

— Si, c'est ça : Hans Krüger.
— Pardon ?
— Tu es Hans Krüger ?
— Très bien !
— Tu ne t'appelles pas Hans Krüger ?
— Annabella ?
— Moi, je suis Annabella Bernardi.
— Oui, avec deux « n » et deux « l », tu comprends ?

4

Conversation compliquée!

 Lisez le début et la fin, imaginez et écrivez la partie qui manque.

— Salut, je suis Norbert Giens.

— ...*pardon;*

— ...*je suis Norbert Giens,*

— ... *A, tu es en Norvégian*

— Mais non, je m'appelle Giens, Norbert Giens!

— Ah bon? Moi, je suis Dan Noah.

Écoutez ensuite la conversation puis jouez-la.

5

Festival européen des Jeunes

A. Écoutez la conversation.

— Salut. Tu t'appelles comment?

— Euh, salut. Je m'appelle Clément Bernard.

— Pardon?

— Oui, Clément Bernard.

— Tu t'appelles Clément Bernard ou Bernard Clément?

— Je suis Clément Bernard, tu comprends?

— Euh, oui, bon! Et tu es d'où?

— De Nyons.

— De Lyon?

— Non, de Nyons: N-Y-O-N-S.

— De Nyons, pas de Lyon?

— Oui, c'est ça: de Nyons!

B. Jouez d'autres conversations (regardez la liste des participants).

5e FESTIVAL EUROPÉEN DES JEUNES

LISTE DES PARTICIPANTS

BERNARD	Clément	Nyons (France)
BERTRAND	Michel	Lyon (France)
GRANDJEAN	Séverine	Montréal (Canada)
ERIKSSON	Lina	Stockholm (Suède)
MOUNSIF	Wania	Belem (Brésil)
VANHULLE	Virginie	Bruxelles (Belgique)
SCARI	Hugo	Milan (Italie)

6

J'épelle...

 A. Écoutez et notez les villes que vous entendez :

1. .... 4. ....

2. .... 5. ....

3. ....

B. Épelez votre prénom, votre nom, le nom de votre ville.

Autres activités voir *Cahier d'activités* p. 12 à 13

La valise grise *(premier épisode)*

La valise grise *(premier épisode)*

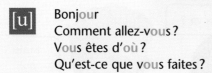

ÉCOUTE !

[u]
Bonjour
Comment allez-vous ?
Vous êtes d'où ?
Qu'est-ce que vous faites ?

J'suis d'Paris
J'm'appelle Jacques.
T'es français ?

[y]
Salut.
Comment vas-tu ?
Je suis de Tunis.
Je suis étudiante.

Je t'explique...

Conjugaison : *cinq verbes*

être	*aller*	*faire*	*s'appeler*	*habiter*
je suis	*je vais*	*je fais*	*je m'appelle*	*j'habite*
tu es	*tu vas*	*tu fais*	*tu t'appelles*	*tu habites*
elle/il est	*elle/il va*	*elle/il fait*	*elle/il s'appelle*	*elle/il habite*
on est	*on va*	*on fait*	*on s'appelle*	*on habite*
vous êtes	*vous allez*	*vous faites*	*vous vous appelez*	*vous habitez*
elles/ils sont	*elles/ils vont*	*elles/ils font*	*elles/ils s'appellent*	*elles/ils habitent*

masculin – féminin / singulier – pluriel : *les professions et les activités.*

il est étudiant...

avocat	*secrétaire*
ouvrier	*dentiste*
acteur	*photographe*
agriculteur	*architecte*
collégien	*journaliste*
lycéen	*médecin*
informaticien	*professeur*

elle est étudiante...

avocate	*secrétaire*
ouvrière	*dentiste*
actrice	*photographe*
agricultrice	*architecte*
collégienne	*journaliste*
lycéenne	*médecin*
informaticienne	*professeur*

ils sont étudiants...

avocats	*secrétaires*
ouvriers...	*dentistes...*

elles sont étudiantes...

avocates	*secrétaires*
ouvrières...	*médecins...*

🔊→ *tu / vous*

— *Salut, je m'appelle Françoise.* **Et toi, tu** *t'appelles comment?*
— *Moi, je m'appelle Jeanne.*
— **Tu** *es d'où?*
— *Je suis de Marseille. Et* **toi** *?*

— *Bonjour, je m'appelle Cécile Legrand.* **Et vous, vous** *vous appelez comment?*
— *Moi, je m'appelle Jacques Martin.*
— **Vous** *êtes d'où?*
— *Je suis de Marseille. Et* **vous** *?*

🔊→ *Pour saluer*

Tu	Vous
Bonjour! Salut! Bonjour Luc! Salut Léa!	*Bonjour monsieur / madame / mademoiselle.*
Bonsoir! Ça va? **Tu** *vas bien?*	*Bonsoir monsieur / madame / mademoiselle.*
	*Comment allez-***vous** *?*

À toi de parler !

❶ Vous êtes journaliste ?

— Vous êtes journaliste ?
— Non, je ne suis pas journaliste, je suis architecte

▌ **journaliste** → médecin, chanteuse…
▌ **architecte** → professeur, actrice…

❷ Présentations

Nom : BRUEL
Prénom : Patrick
Nationalité : française
Profession : acteur et chanteur
Adresse : 1, rue de la Liberté 75001 Paris

Je m'appelle Patrick Bruel. Je suis acteur de cinéma et chanteur. Je suis français. J'habite Paris.

▌ **Je m'appelle** → Il s'appelle… Continuez

❸ Elle s'appelle...

Nom : BOHRINGER
Prénom : Romane
Nationalité : française
Profession : actrice
Adresse : 2, rue du Premier Film 69007 Lyon

▌ **A** → Elle s'appelle Romane… Continuez.
▌ **B** → Je m'appelle Romane… Continuez.

Activités complémentaires voir *Cahier d'activités* p. 14 à 15

À toi de jouer !

1 **Puzzle**

✍ **Reconstituez les phrases.**

A. est mais bien elle français. américaine, parle Elle

B. vous et architecte habitez c'est êtes Biarritz, Vous ça ? à

C. Diane est Elle et collégienne. elle s'appelle

D. étrangère, parles aussi français. es mais très Toi tu tu bien

2 Elle dit « tu » ou « vous » à ces personnes ?

🎧 **Écoutez et cochez.**

	1	2	3	4	5	6	7	8
tu								
vous	✕							

3 **Puzzle**

A. — Ah, tiens ! Madame Germain ! Vous allez bien ?   B. — Bien, merci.

D. — Ça va, ça va, et vous ? Comment allez-vous ?   C. — Bonjour, monsieur !

✍🎧🗣 **A. Reconstituez la conversation. Écoutez-la, puis jouez-la.**

🗣 **B. Jouez d'autres conversations.**

4 Qui dit quoi ?

✍ **Rendez à chacun sa phrase de présentation.**

A. — Moi, je suis photographe

B. — Je suis secrétaire. Je m'appelle Gaëlle Bédier.

C. — Docteur Grandier : je suis médecin.

D. — Qu'est-ce que vous faites ? Vous vous appelez comment ?

E. — Je m'appelle Arnaud Je suis lycéen.

🗣 **Jouez la situation.**

5

Présentez-les

Ils s'appellent comment ? Qu'est-ce qu'ils font ? Ils habitent où ?

6 Identité

A. Lisez le début et la fin de la conversation. Imaginez et écrivez les répliques qui manquent.

— Nom ? Prénom ?
— ...
— ...
— ...
— ...
— Mais non, ça s'écrit M, E accent aigu, D, E, deux S, E, I, N.

B. Écoutez puis jouez la conversation à deux.

— ...
— ...
— ...
— Limoges, 21 rue de la République.
— Très bien. Merci, Monsieur Médessein.

7

Présentation sur Internet

Vous vous présentez sur Internet.

Attention ! Vous devez utiliser tous les mots : s'appeler, comprendre, habiter, aller, être, italien, salut/bonjour, pas très bien, parler.

Bonjour, je m'appelle…

Autres activités voir Cahier d'activités p. 16 à 17

Le jeu des questions

Êtes-vous prêts ?

Des Français célèbres

- **Où est sa photo ?**
Trouvez le bon numéro.
Marie Curie (1867-1934)
La Fayette (1757-1834)
Voltaire (1694-1778)
Victor Hugo (1802-1885)
Hector Berlioz (1803-1869).

- **Écoutez.
Il y a une
erreur dans
ce corrigé.
Quelle est
l'erreur ?**

- **Deux par deux**
Quels autres Français
et Françaises célèbres
connaissez-vous ?
Faites une liste
(5-10 noms)

Des sites célèbres en France
Replacez ces sites sur la carte de France (p. 7).

*Le vieux
port de
Marseille*

*Les arènes
de Nîmes*

*La cathédrale
de Bourges*

*Le musée
du Louvre*

Le château de Chambord

**Choisissez quelques monuments
pour présenter votre pays
(attention, mettez le nom
en français : « le château de… »,
« la cathédrale de… »)**

Méli-mélo
Faites correspondre deux à deux.

Les souhaits

Écoutez puis, à deux,
jouez ces situations.

Bon
anniversaire !

*Joyeux
Noël !*

Bonne et heureuse année !

*Bonnes
vacances !*

Préparation au DELF (1)

Préparation à l'oral individuel A1

1 **Cherchez**

Cherchez à deux (dans votre mémoire ou dans le livre) les expressions pour saluer, demander *comment ça va, d'où on est, quelles langues on parle* et *la nationalité.*

2 **Jouez**

L'élève A est nouveau dans un collège international. Il rencontre l'élève B. Ils se présentent.

3 **Jouez les conversations entre les deux personnes**

Préparation à l'épreuve écrite A1

1 **Dans les messages sur Internet, cherchez et copiez :**

Les prénoms	Les noms	Les nationalités	Les noms de ville

Bonjour, je suis de Toronto mais je suis espagnol. Je parle anglais bien sûr, mais pas bien français… Ma famille habite Bruxelles. André

Bonjour, mon nom est Jackson mais je suis de Bruxelles et je parle anglais, mais pas très bien. Pour les copains, je suis Eddy.

Salut ! Je suis belge, je suis de Gand et je parle hollandais (pas très bien), anglais et français. Steffie, de Belgique.

2 **Qui pourrait dire ces phrases ? Écrivez le prénom correspondant.**

Je ne suis pas canadien → … ; Je ne parle pas bien anglais → … ;
Je ne suis pas de Bruxelles → … .

Préparation à l'épreuve collective orale A1

Écoutez l'enregistrement une fois. Lisez les questions.
Écoutez encore deux fois et répondez :

1. Qui parle ? → … **2.** À qui ? → … **3.** Qui est suisse ? → …

Évaluation

1 **Compréhension orale** *(5 points)*

On parle de qui?

Écoutez ces 5 phrases et notez le numéro de la personne dont on parle (1, 2 ou 3)

A	...
B	...
C	...
D	...
E	...

2 **Expression orale**

A. Présentez-vous, ou présentez un de vos camarades de classe en 5 phrases, en utilisant 5 à 6 verbes *(5 points)*.

B. Posez 5 questions à votre professeur ou à un camarade *(5 points)*.

3 **Connaissance de la langue** *(10 points)*

Complétez:

1. Elles ne sont ... étrang...: elles sont françaises.
2. Qu'est-ce qu'... font?
3. Vous vous appelez ...?
4. Vous ... d'autres langues?
5. ... ne va pas très ...!
6. ... habites où?
7. Marseille, ça ... écrit avec ... «l».

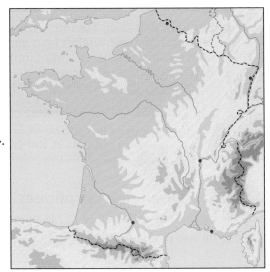

4 **La France** *(5 points)*

Écrivez le nom de ces 5 grandes villes (sans regarder la carte de France)

5 **Expression écrite** *(10 points)*

Présentez-vous ou présentez une personne imaginaire sur Internet (25 ou 30 mots environ).

Attention à la ponctuation!

Séquence

2

objectifs

---> 6
    7
Parler des objets qu'on possède,
en mentionner le nombre
et les localiser à l'intérieur du logement

---> 8
Parler du temps qu'il fait, du climat
et des saisons dans différents pays et lieux ;
dire ce qu'on ressent (froid, chaud, faim,
soif, peur...)

---> 9
Préciser où se trouve un lieu dans une ville,
situer une ville dans un pays, une région

---> 10
Présenter une ville ou une région
et expliquer comment y aller

1
— Tu as des bandes dessinées, chez toi ?
— Non, je n'ai pas de bandes dessinées, mais j'ai beaucoup de livres !

2
— J'ai aussi une montre
suisse, un vélo anglais,
un appareil photo japonais,
une poupée russe, un chien
allemand et une chatte
siamoise. Je suis
international, moi !
— Ah...!

3
— Et toi, qu'est-ce que
tu as chez toi ?
— Des bandes dessinées !
— Beaucoup ?
— Oui, beaucoup !
— Combien ?
— Vingt ou trente !

4
— J'ai une guitare, un baladeur et une trompette. Et toi ?
— Une trompette ?
— Oui, et toi, qu'est-ce que tu as chez toi ?
— Moi, je n'ai pas de trompette, mais j'ai une console, un portable et un ordinateur.

5
— Moi, j'ai un baladeur mais je n'ai pas de CD.
Tu as des CD, toi ?
— Oui, bien sûr, j'ai des CD.
— Tu as combien de CD ?
— Pas mal.
— Moi, je n'ai pas de CD. Tu …
— Euh… attends ! J'ai des CD, mais ils ne sont pas chez moi !
— Ah ? Bon….

Je n'ai pas de vélo.
Je n'ai pas de moto.
Je n'ai pas d'appareil photo.
Je n'ai pas de jeu vidéo…
Mais j'ai une maison
et beaucoup d'amis.

Unité 6

Moi, j'ai ...

ÉCOUTE !

[ʒ] Jérémie, Jérôme, Julie
Norvège, Algérie, Belgique

un journaliste japonais
une collégienne norvégienne

[ʃ] Charles, Chantal, Achille
Chine, Chili, Chypre

un architecte chinois
une chanteuse chilienne

J'ai un chat. Il est chez Jérôme.
Je chante : je suis chanteur.

Je t'explique...

Conjugaison : *avoir*

j'ai	[ɛ]	*on a*	[na]
tu as	[a]	*vous avez*	[zave]
elle / il / a	[a]	*elles / ils ont*	[zɔ̃]

Et

J'ai un ordinateur et des CD. Il a un vélo, une moto et un appareil photo.
Je parle italien et français.

Un, une, des → pas de..., pas d'...

Tu as un vélo ?	→ Oui, j'ai un vélo !	→ Non, je n'ai **pas de** vélo !
Tu as une montre ?	→ Oui, j'ai une montre !	→ Non, je n'ai **pas de** montre !
Tu as un appareil photo ?	→ Oui, j'ai un appareil photo !	→ Non, je n'ai **pas d'**appareil photo !
Tu as des CD ?	→ Oui, j'ai des CD !	→ Non, je n'ai **pas de** CD !

beaucoup ? combien ?

*Tu as **beaucoup de** CD ?* → Oui, beaucoup / Non, pas beaucoup.
*Tu as **combien de** CD ?* → Quarante ou cinquante / Un ou deux / Beaucoup.

0	*zéro*	9	*neuf*	18	*dix-huit*	27	*vingt-sept*
1	*un*	10	*dix*	19	*dix-neuf*	28	*vingt-huit*
2	*deux*	11	*onze*	20	*vingt*	29	*vingt-neuf*
3	*trois*	12	*douze*	21	*vingt et un*	30	*trente*
4	*quatre*	13	*treize*	22	*vingt-deux*	31	*trente et un*
5	*cinq*	14	*quatorze*	23	*vingt-trois*	32	*trente-deux*
6	*six*	15	*quinze*	24	*vingt-quatre*	33	*trente-trois*
7	*sept*	16	*seize*	25	*vingt-cinq*	34	*trente-quatre*
8	*huit*	17	*dix-sept*	26	*vingt-six*	35	*trente-cinq*

36	*trente-six*	41	*quarante et un*	46	*quarante-six*
37	*trente-sept*	42	*quarante-deux*	47	*quarante-sept*
38	*trente-huit*	43	*quarante-trois*	48	*quarante-huit*
39	*trente-neuf*	44	*quarante-quatre*	49	*quarante-neuf*
40	*quarante*	45	*quarante-cinq*	50	*cinquante*

→ *1 + 1 = 2 ; 1 − 1 = 0*

   *un **plus** un, ça fait deux ; un **moins** un ça fait zéro*

→ *un ...→ il ; une... → elle ; des... → ils / elles*

   *C'est **un** livre anglais*   *C'est **un** architecte, il est français*

   ***une** montre japonaise*   ***une** journaliste, **elle** est italienne*

   *Ce sont / C'est **des** livres anglais*   *Ce sont / C'est **des** architectes, **ils** sont français*

   ***des** montres japonaises*   ***des** journalistes, **elles** sont italiennes*

À toi de parler !

❶ Tu as un chien ?

— Tu as un chien ?
— Non, je n'ai pas de chien mais j'ai un chat.

| **chien** → CD, livres, vélo, moto, bandes dessinées, téléphone portable, …
| **chat** → télé, moto, guitare, ordinateur, console…

❷ Tu as des livres ?

— Tu as des livres ?
— Oui.
— Ce sont des livres anglais ?
— Non, c'est des livres français.

| **livres** → CD, livres, vélo, moto, bandes dessinées, ordinateur, guitare,…
| **anglais** → français, italien, américain,…

❸ Calcul

PFFF... C'EST COMPLIQUÉ !

— Dix plus onze ?
— Ça fait vingt et un.
— Cinquante moins treize, ça fait combien ?
— Euh… c'est compliqué, attends… trente-sept ?
— Oui, c'est ça !

❹ Qu'est-ce que c'est ?

— Qu'est-ce que c'est, ça ?
   C'est une télévision ?
— Oui, elle est japonaise.
— Ah ! Et le livre est japonais aussi ?
— Mais non ! C'est un livre français !

| **télévision** → ordinateur, moto, CD, bandes dessinées…
| **japonais** → français, allemand, italien, espagnol, anglais, russe….

Activités complémentaires dans le *Cahier d'activités* p. 18 à 20

À toi de jouer !

1 Tu as le numéro ?

Jouez d'autres conversations

— Tu as le numéro ?
— Oui, c'est le 01 45 03 12 22.
— Merci !

2 Annonces

Écoutez les conversations et dites à quelle annonce elles correspondent

Cherche

moto américaine des années 1950.

Tél. 04 52 34 16 31

VENDS

CD de chanson française. Bon prix, bon état.

Téléphoner au
04 52 34 15 31

3 Puzzle

Reconstituez chaque réplique de la conversation, puis jouez-la.

— ai   ai   Chez   de   j'   je   mais   moi,   n'   ordinateur,   pas   télé.   un

— as   de   n'   pas   télé ?   Tu

— et   Non,   toi ?

— chien.   et   j'ai   Moi,   télé   un   une

— Ah !   ai   aussi   chien.   j'   Moi   un

4 Le répondeur

Vous entendez ce message. Qui vous a appelé ?

JAMET Nicolas 1 chem Cugnet
        04 32 05 16 22
JAMIN André 5 av Van Doren
        04 32 05 13 21
JANDOT Didier 8 r Louis Blanc
        04 32 06 16 22
JANY Alex 32 av Gambetta
        04 32 06 13 21

5 Qu'est-ce qu'ils peuvent dire ?

 **Faites-les parler.**

6 Jeu

— Le numéro 3, qu'est-ce qu'il a ?
— Un baladeur !
— Et le numéro 6 ?
— Il a un appareil photo !
— Mais non, il a un...

 **Continuez la conversation**

7 Jeu à deux

 **Vous écrivez 5 noms d'objets, puis à deux, vous posez des questions :**

— Tu as un ordinateur ?
— Non, je n'ai pas d'ordinateur.
   Et toi, tu as une... ?
— Oui, j'ai...

Le premier qui a trouvé
les 5 objets de l'autre a gagné.

Autres activités voir *Cahier d'activités* p. 21 à 23

Mémo *(premier épisode)*

☝ Il est là !

1 AUDE : — Dis, où est le téléphone ?
STÉPHANE : — Il est là.
AUDE : — Où, là ?
STÉPHANE : — Là, sous la table, tu vois ?

2 AUDE : — Tu cherches quoi ?
STÉPHANE : — Je cherche un livre.
AUDE : — Quel livre ?
STÉPHANE : — Un livre sur Jules César.
Où sont les livres d'histoire ?
AUDE : — Ils sont là, sur l'étagère, à droite.
STÉPHANE : — Ah oui ! Je vois, merci.

3 AUDE : — Et le chien, il est où ?

STÉPHANE : — Hein ?

AUDE : — Le chien, où est-ce qu'il est ?

STÉPHANE : — Je ne sais pas... Il est dans le jardin ou dans la cuisine.

4 AUDE : — Allô! Maman ?

[voix au téléphone] :

— Ah c'est toi chérie ! Ça va ?

AUDE : — Ça va, mais je cherche le chien !

[voix au téléphone] : — Le chien ?

AUDE : — Oui, je ne sais pas où il est !

[voix au téléphone] :

— Il n'est pas dans le jardin ?

5 STÉPHANE : — Oh ! Il est là !

AUDE : — Où, là ?

STÉPHANE : — Là, devant moi !

AUDE : — Ah, bon !... Il est là, m'man !

[voix au téléphone] :

— Où là ?

AUDE : — Euh... dans la cuisine.

[voix au téléphone] :

— Qu'est-ce qu'il fait dans la cuisine ?

AUDE : — Hein ? Ah !... euh... Au revoir, m'man !

[voix au téléphone] : — Mais ?

Écoute!

A

[s] sous, sur, le salon, le séjour

[z] La cuisine, la valise, Jules César

C

Je ne sais pas → J'sais pas [ʃepa]

Qu'est-ce que tu as dans la valise ? → Qu'est-ç't'as [kɛsta] *dans la valise.*

B

— *Dis, où est le téléphone ?*

— *Je ne sais pas.*

— *Qu'est-ce que tu as dans la valise ?*

— *Hein ? Ah ! Euh…*

Je t'explique…

Qu'est-ce que ? / Quoi ?

Qu'est-ce que tu cherches ?   *Tu cherches quoi ?*

Qu'est-ce que tu vois ?   *Tu vois quoi ?*

Le, la, les, / Un, une, des / Quel(s), quelle(s)…

— *Qu'est ce que tu cherches ?*

		masculin			féminin
singulier	**un**	– Un livre.	**une**	– Une photo.
	quel	– Quel livre ?	**quelle**	– Quelle photo ?
	le	– Le livre de maths.	**la**	– La photo de Laurie.
	il	– Il est sur la table.	**elle**	– Elle est sur l'étagère
pluriel	**des**	– Des livres.	**des**	– Des photos.
	quels	– Quels livres ?	**quelles**	– Quelles photos ?
	les	– Les livres de géographie.	**les**	– Les photos de l'appartement.
	ils	– Ils sont dans la valise.	**elles**	– Elles sont dans l'armoire.

Le + a, e, i, o, u → la + a, e, i, o, u → l'

— *Quel appartement ?* — *L'appartement d'Adrien.*

— *Quelle armoire ?* — *L'armoire de la chambre de Gaël.*

Conjugaisons

voir

je vois [vwa]

vous voyez [vwaje]

ils/elles voient [vwa]

savoir

je sais [sɛ]

vous savez [save]

ils/elles savent [sav]

Où ?

à gauche de la maison   *à droite de la maison*   *sous la maison*   *sur la maison*

derrière la maison   *devant la maison*   *entre les maisons*   *dans la maison*

À toi de parler !

1 Ils sont où ?

— Dis, tu as des livres ?

— Oui.

— Ils sont où ?

— Ils sont sur l'étagère / à droite de la télévision….

❙ **livres** → CD, radio, télé, console…

2 Tu vois la guitare ?

— Dis, je cherche le téléphone.

— Tu vois la guitare ?

— Quelle guitare ? Ah, oui.

— Eh bien, le téléphone est derrière la guitare.

❙ **Téléphone / guitare** → livre / étagère lit, ordinateur / table, chaise, chien, console…

❙ **Derrière** → devant, à droite, sur…

À toi de parler !

3 Qu'est-ce que c'est ?

— Qu'est-ce que c'est, ça ?
— C'est une radio.
— Ça, une radio ?
— Mais oui ! C'est la radio de Papi.

radio → appareil photo, livres, BD, CD, photos…

4 À la maison : où sont-ils ?

— Dis, il est où Papi ?
— Papi ? Attends. Ah ! Il est dans le grenier !
— Dans le grenier ? Qu'est-ce qu'il fait dans le grenier ?
— Euh… j'sais pas.

1 Le grenier
2 La chambre des enfants
3 Le salon, le séjour
4 La salle à manger
5 La cave
6 L'entrée
7 La cuisine
8 La chambre des parents
9 Le garage
10 La salle de bains
11 Le jardin.

Activités complémentaires dans le *Cahier d'activités* p. 24 à 25

À toi de jouer!

Il est la

1 Phrases-puzzles

 **Reconstituez les phrases.**

— chat, cherche est? il Je le où sais tu

— chat chien. est est il Je je le mais ne où où pas sais sais

2

Conversation sans fin

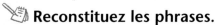 **À continuer à deux.**

— Dis, je cherche le chat.
— Je ne sais pas où il est, mais moi je cherche le / la....
— Je ne sais pas..., mais moi...

3

Au téléphone

Reconstituez la conversation, jouez-la puis écoutez-la.

— Allô! Antoine, ça va?
— Euh… je cherche Gabriel.
— Euh… non.
— Gabriel? Je ne sais pas où il est.
— Il est où?
— Il n'est pas à la maison?
— Mais je ne sais pas où il est!
— Salut Élodie, ça va et toi?

4

Ils parlent de quoi?

Écoutez les conversations, regardez le dessin des activités « À toi de parler! » 1 et 2 (p.45), et écrivez de quoi ils parlent.

a. .... b. .... c. .... d. ....

5

Jeu

Qu'est-ce que c'est? C'est où?

À jouer à deux. Un élève montre un objet sur une image du livre, il demande:
« Qu'est-ce que c'est? » puis « C'est où? ».
L'autre élève marque 2 points quand il répond.

Il est là !

À toi de
jouer !

6

Échange d'appartements

Vous êtes à Tokyo dans l'appartement d'Ito, un ami japonais. Ito, lui, est dans votre appartement en France.
Ito vous envoie un courriel :

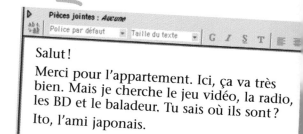

Salut !

Merci pour l'appartement. Ici, ça va très bien. Mais je cherche le jeu vidéo, la radio, les BD et le baladeur. Tu sais où ils sont ?

Ito, l'ami japonais.

 **Vous répondez au message d'Ito (en repérant les objets sur le dessin de votre appartement). Puis vous lui demandez où sont d'autres objets chez lui.**

7

Jeu : oui ou non ?

Un groupe d'élèves choisit un objet dans la classe. Un autre élève doit deviner quel est l'objet. Il pose des questions : « C'est masculin ? », « Il est sous la table ? »... Le groupe répond seulement par « oui » ou « non ».

8

Jeu à deux

Chaque élève choisit où sont ses objets comme dans l'exemple, puis pose des questions.

Exemple : — Chez toi, le téléphone est sous l'étagère ?
— Non. Chez toi, les livres sont... ?

téléphone	**sur**	table
CD	**sous**	étagère
livres	**à droite**	chaise
baladeur	**à gauche**	armoire
bandes dessinées	**dans**	lit
	devant	

Le premier qui trouve où sont les 5 objets de l'autre a gagné.

Autres activités voir *Cahier d'activités* p. 26 à 29

Mémo *(deuxième épisode)*

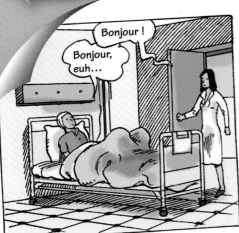

Les quatre saisons

Montréal
en hiver

1 On est en janvier. C'est l'hiver au Canada.
Il neige et il fait très froid : il fait –30° !
Tout le monde a froid.

2 On est en avril, le premier
avril. C'est le printemps
en Italie. Il fait beau.

À Lyon, il fait nuit.

En Espagne, en été

3 On est en juillet. C'est l'hiver
en Argentine, mais c'est l'été
en Espagne. Il fait très chaud :
35 degrés. Ils ont très chaud et
ils ont soif.

*Il fait gris
à Bruxelles*

La Toscane au printemps, Italie

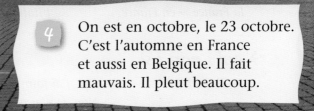

4 On est en octobre, le 23 octobre.
C'est l'automne en France
et aussi en Belgique. Il fait
mauvais. Il pleut beaucoup.

5 ELLE : — Tu n'as pas froid ?
LUI : — Non, ça va, mais j'ai faim.
Et toi, tu n'as pas froid ?
ELLE : — Si, un peu.
LUI : — Tu as faim, toi aussi ?
ELLE : — Oui, très faim. Tu n'as pas
peur ?
LUI : — Si, un peu. Et toi ?
ELLE : — Moi, non. Maintenant,
je n'ai pas peur !

*À Lyon, il fait
maintenant jour.*

Écoute !

 [wa]   Il fait froid.
Trois
J'ai soif.
Vingt-trois

 [ɥi]   Il fait nuit
Huit
C'est la pluie
Dix-huit

Je t'explique...

le → au

le Canada → au Canada

le Portugal → au Portugal

le Brésil → au Brésil

la, l' → en

la Belgique → en Belgique   l'Amérique → en Amérique

la Chine → en Chine   l'Espagne → en Espagne

la France → en France   l'Italie → en Italie

oui / non / si

— Tu as faim ?   — Oui, j'ai faim.
                       — Non, je n'ai pas faim.

— Tu n'as pas soif?   — Si j'ai soif.
                       — Non, je n'ai pas soif.

+ (plus) / – (moins).

+ 30 ° : Il fait plus [plys] trente (degrés).
– 10°: Il fait moins dix (degrés).

Les saisons en Europe

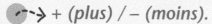

l'hiver   le printemps   l'été   l'automne

janvier - février - mars - avril - mai - juin - juillet - août - septembre - octobre - novembre- décembre

Le → au: au printemps – l' → en: en automne, en été, en hiver

→ C'est quand / à quelle date ?

C'est le premier mars, le deux mars, le trois mars, le vingt et un mars, le trente et un mars…

À toi de parler !

1 Géographie
— Il habite où, maintenant ?
— Il habite à Marseille.
— Ah ? Et c'est où, Marseille
— Mais c'est en France, voyons !

il → elle, ils, elles

Marseille (France) → Rome (Italie), Québec (Canada), Barcelone (Espagne), Genève (Suisse)…

2 Mathématiques
— 30 + 15, ça fait combien ?
— Mais voyons, ça fait 45 !

❚ **30 + 15** → 40 – 6, 28 + 9, 5 – 3…

3 C'est quelle date aujourd'hui ?
— C'est quelle date aujourd'hui ?
— Aujourd'hui ? On est le 12 juillet.

❚ **12.07** → 15.08, 16.09, 14.12, 01.03, 19.06, 21.11, 31.12, 08. 05

4 Ça va ?
— Ça va ? Tu n'as pas froid ?
— Si, un peu. Et toi, tu as froid ?
— Oui, j'ai très froid !

❚ **froid** → chaud, faim, peur, soif…
❚ **si** → non

5 Il fait quel temps ?
— Elle va où ?
— Au Brésil.
— Ah, le Brésil et les Brésiliens ! Ah !… Au fait, il fait quel temps au Brésil, maintenant ?
— Il pleut beaucoup, mais en hiver il fait chaud…

❚ **Elle** → Il, elles, ils, tu
❚ **Brésil** → Suisse, Angleterre, Grèce…
❚ **chaud** → froid, beau…

Activités complémentaires dans le *Cahier d'activités* p. 30 à 32

À toi de

jouer!

1 Qu'est-ce qu'ils peuvent dire?

Décrivez et faites-les parler.

C'est où?

Il fait beau / mauvais?
Ils ont chaud ou froid?
C'est en quelle saison?
Ils ont faim / soif?
Et chez toi, il fait quel temps?
Il fait froid maintenant?
Il fait combien? Il pleut?
Il neige?
Noël, Pâques, les vacances,
c'est à quelle date?

2 Puzzles

Reconstituez les phrases.

— il   l'   et   pleut   automne   est   beaucoup.   C'

— sont   Italie   en   en   hiver.   Elles

— n'   Non,   pas   maintenant   chaud   je   très   ai

3

Cartes postales

Complétez les cartes postales

Stockholm, le...

Salut!
Je suis à ... Il fait...

À bientôt!

Mexico, le...

Chère Élodie,
Je suis à ... Il fait...

À bientôt!

Activités complémentaires dans le *Cahier d'activités* p. 33 à 35

Mémo *(troisième épisode)*

Le monde francophone

CANADA
(Québec)

Saint-Pierre
et Miquelon

BELGIQUE
LUXEMBOURG
FRANCE
SUISSE
ROUMANIE

LIBAN

MAROC
TUNISIE
ALGÉRIE
ÉGYPTE

HAÏTI

OCÉAN

Guadeloupe
Martinique

OCÉAN

MAURITANIE
SÉNÉGAL
MALI
NIGER
TCHAD

GUINÉE
BURKINA
NIGERIA
RÉP.
CENTRAFRICAINE
DJIBOUTI
CÔTE
D'IVOIRE
CAMEROUN

PACIFIQUE

Guyane française

TOGO
GABON
RÉP.DÉM.
RWANDA
BÉNIN
CONGO
DU CONGO
BURUNDI

ATLANTIQUE

COMOR

MADAGA

Polynésie
française

Pays ou le français est langue maternelle

Pays ou le français est langue privilégiée

Pays ou le français est langue officielle ou administra

Français langue maternelle
- la Belgique (la Wallonie et Bruxelles)
- le Canada (le Québec)
- la France
- La France d'outre-mer : la Guadeloupe,
la Guyane, la Martinique, Mayotte,
la Nouvelle-Calédonie, la Polynésie,
la Réunion, Wallis-et-Futuna.
- le Luxembourg (avec le luxembourgeois)
- la Suisse (Suisse romande)

Français langue privilégiée
- l'Algérie
- la roumanie
- le Cambodge
- l'Égypte
- le Laos
- le Liban
- le Maroc
- la Tunisie
- le Vietnam

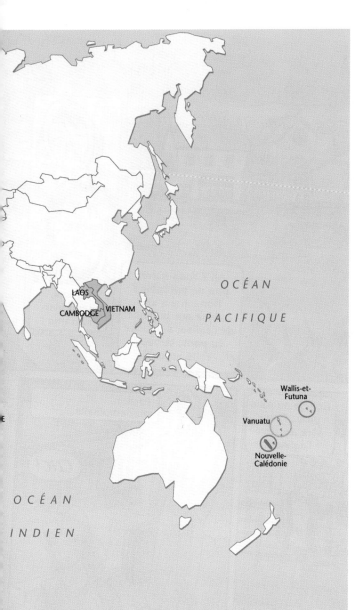

Français langue officielle ou administrative

- le Bénin
- le Burkina Faso
- le Burundi
- le Cameroun
- les Comores
- le Congo
- la Côte d'Ivoire
- Djibouti
- le Gabon
- la Guinée
- Haïti
- Madagascar
- le Mali
- Maurice
- la Mauritanie
- le Niger
- la République centrafricaine
- la République démocratique du Congo
- le Rwanda
- le Sénégal
- le Tchad
- le Togo
- Vanuatu

1 Géographie
Par groupes, essayez de retrouver tous les pays de cette liste sur la carte.

2 Grammaire
Parmi les 23 pays où le français est langue officielle ou administrative, avec lesquels on dit « au » (12), « aux » (1), « en » (5), ou « à » (5) ?

3 C'est dans quel pays ?

La valise grise *(deuxième épisode)*

CLIC!

Excusez-moi, madame... Où est-ce qu'il y a une cabine téléphonique ?

Ah ? Vous n'avez pas de portable ? Bon... Il y a une cabine sur la place de l'église, à gauche du pont, là-bas... Vous voyez ?

Ah oui, merci bien, madame !

Allô, le 03 42 81 29 73 ?

Pardon, vous savez où est le bar « Chez Paulo » ?

Euh, je ne sais pas... Peut-être derrière l'église ?

Pardon, mademoiselle...

CLIC!

Attention, Antoine !

Vous savez où il y a une station de taxis ?

Il y a des taxis devant l'hôtel sur la place de la mairie ...

Et... ?

Et à côté du café de la gare...

Merci beaucoup, mademoiselle !

Ah, là là !

Je vou en p

CLIC

Écoute !

A

— *Dites, vous savez où il y a un restaurant ?*
— *Peut-être là-bas !*
— *Merci beaucoup !*
— *Je vous en prie !*

B

[v] Un village
Le village de Clairval
Valérie est avocate

[f] Un café
Le café de France
François est photographe

Je t'explique...

Pour demander un renseignement

Commencer...	Poser une question...	Répondre...
— *Dites,... /* — *Pardon,.../* — *S'il vous plaît,... /* — *Excusez-moi,...*	*... où est-ce qu'il y a un(e) / des...?*	— *Je ne sais pas, désolé(e).* — *Peut-être [sur la place], là-bas...* — *Euh, ça, je ne sais pas...*
— *Pardon, Madame /* *Mademoiselle /* *Monsieur...*	*... vous êtes d'ici ?*	— *Oui / non.*

Il y a un / une / des....

*Il y a **une** poste ici?* → *Non, ici il **n'y** a **pas de** poste.*
*Il y a **un** café ici?* → *Non, ici il **n'** y a **pas de** café.*
*Il y a **des** toilettes ici?* → *Non, ici il **n'** y a **pas de** toilettes.*

un / le ?

*Il y a **un** café.* → *C'est **le** café de la gare.*
*Il y a **une** poste.* → *C'est **la** poste de Chalon.*
*Il y a **des** hôtels.* → *Ce sont **les** hôtels de Clairval*

du / de la / de l' / des

La poste → *[de + la → de la]* → *en face **de la** poste*
Le restaurant → *[de + le → du]* → *en face **du** restaurant*
L'hôtel → *[de + l' → de l']* → *en face **de l'**hôtel*
Les taxis → *[de + les → des]* → *en face **des** taxis*

où...? ici / là-bas

En face de la maison

À côté de la maison

Près de la maison

Au coin de la rue

→ 🔊 *Les nombres : 50 , 1000…*

50, 51… *cinquante, cinquante et un…*

60… *soixante ….*

70, 71… *soixante-dix, soixante et onze…*

80, 81… *quatre-vingts, quatre-vingt-un…*

90, 91… *quatre-vingt-dix, quatre-vingt-onze…*

100, 101, 102 … *cent, cent un, cent deux …*

200, 201 … *deux cents, deux cent un …*

300, … 400 … *trois cents, quatre cents …*

1000, 1001 … *mille, mille un …*

2000, … 3000… *deux mille, trois mille …*

À toi de parler !

❶ S'il vous plaît…

— S'il vous plaît, est-ce qu'il y a un hôtel ici ?

— Oui, il y a un hôtel, c'est l'Hôtel du pont.

| **un hôtel** → un café, une banque, un restaurant…

| **le pont** → la poste, Paris, l'hôtel…

❷ Excusez-moi…

— Excusez-moi, où est-ce qu'il y a une poste ?

— Une poste ? Attendez… en face de l'école, près de l'église

| **une poste** → un supermarché, une école, un cinéma…

Regardez le dessin de la petite ville et jouez d'autres conversations.

❸ Comptons !

À deux, continuez de compter :

— 3, 5, 7, 9……..

— 5, 10, 15, 20, 25….

— 100, 98, 97…

— 1200, 1100, 1 000…

❹ Calcul : c'est compliqué !

— 1 200 + 1 200, ça fait combien ?

— Ouah ! C'est compliqué… attends… 1 200 + 1 200, ça fait 2 400 ! C'est ça ?

— Oui, c'est ça !

Jouez d'autres conversations :
950 + 950, 340 + 340, 3 500 + 3 500…

❺ Allô !

— Vous avez le téléphone ?

— Oui, c'est le 02 39 47 65 16.

— Pardon ? Le 02 39 47 65 13.

— Non, 65 16 !

Jouez d'autres conversations :
**02 39 47 65 13 → 04 74 03 08 678,
01 45 79 13 15, 05 36 56 68 89,
06 14 99 50 27, 03 17 76 90 11…**

Activités complémentaires dans le *Cahier d'activités* p. 36 à 37

À toi de **jouer !**

La valise grise (deuxième épisode)

1 Quelle est l'adresse… ?
Quel est le numéro… ?

— Quelle est l'adresse du restaurant Les Ambassadeurs ?
— Le restaurant Les Ambassadeurs, c'est 4, avenue Pierre Sémard.

Jouez d'autres conversations

2

Un gîte rural

Jouez à deux : posez les questions et répondez (phrases complètes)

Exemple : – Il y a une salle à manger ? Une salle de bains ? Des toilettes ?

— Où ?
— Combien ?

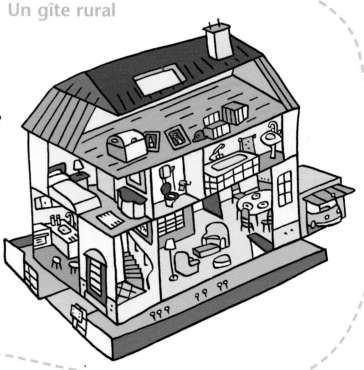

3 **Au Sahara**

— Excusez-moi, Monsieur, est-ce qu'il y a une poste près d'ici ?
— Ici, c'est le désert ! Il n'y a pas de poste !
— Euh… à combien de kilomètres est-ce qu'il y a une poste ?
— La poste est à … kilomètres !

Continuez à deux.

Et toi, tu sais où il y a une poste et une gare dans ta ville ?

4 Jeu de rôles

 Dialoguez avec votre voisin(e)

L'élève A habite la ville ;
l'élève B est un(e) ami(e) étranger / étrangère.

5

Derrière chez moi…

Lisez ce texte deux ou trois fois, puis jouez-le (voix haute et gestes) :

Derrière chez moi
Qu'est-ce qu'il y a ?
Il y a une place
Sur la place
Il y a une poste
Devant la poste
Il y a une cabine téléphonique
Dans la cabine téléphonique
Il y a une fille.
Et chez moi
Qu'est-ce qu'il y a ?
Chez moi, il y a… moi
À côté de moi
Il y a un téléphone
Le téléphone sonne !
C'est elle !
Non, c'est personne…

Je suis chez Julie, elle habite 3, rue de la Pompe. Ce n'est pas compliqué, c'est à droite du supermarché Déchan. On t'attend.
À tout de suite,
Céline

6

Message

 En utilisant l'exemple du message de Céline et le plan, écrivez un message de Xavier à son copain Maxime. Il attend Maxime chez Quentin.

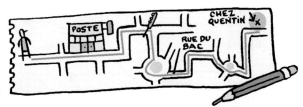

Autres activités voir *Cahier d'activités* p. 38 à 41

Mémo *(quatrième épisode)*

Unité
10 ╌╌→ ✋ C'est en France

*Une petite ville
de province :
Mimizan*

1 C'est en Aquitaine, près
de la mer. À Mimizan, il y
a seulement 6 800 habitants.

2 Bourg d'Oisans est situé dans les Alpes à
50 km au sud-est de Grenoble. En été, il y
fait chaud. En hiver, il y fait très froid.

*Un village
de montagne
en Oisans*

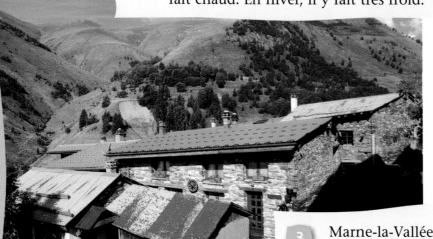

3 Marne-la-Vallée est située à 20 km à l'est
de Paris. Beaucoup d'habitants de
Marne-la-Vallée travaillent à Paris. Ils y
vont en voiture par l'autoroute A 4, ou
d'abord à pied jusqu'à la gare, puis en
R.E.R. (métro express régional) ou en
train. Ensuite, à Paris, ils prennent le
métro ou le bus. C'est compliqué !

*En région
parisienne, une
des cinq « villes
nouvelles » :
Marne-la-Vallée*

4

— Pardon Monsieur, pour aller
à Mimizan, s'il vous plaît ?

— Mimizan ? C'est simple !
Vous allez jusqu'à Escource.
À Escource, vous tournez
à gauche et c'est tout droit.

— C'est loin d'ici ?

— Euh... 16 km à peu près.

— Merci bien.

5

— Dites, je cherche l'usine
Secma à Marne-la-Vallée...

— Vous y allez à pied ?

— Ben oui. C'est compliqué ?

— Non, mais c'est loin ! Vous savez où est la
gare ? Eh bien, l'usine est à 3 km de la gare.

— Après la gare ?

— Après la gare, oui, sur la route de La Garde.

— Après La Garde ?

— Mais non ! Après la gare, mais avant La
Garde ! D'accord ?

6

— Excusez-moi Monsieur l'agent, la route de Bourg d'Oisans ?

— Bourg d'Oisans ? Euh, attendez...
Vous allez tout droit, jusqu'au carrefour, là...

— Je vais tout droit jusqu'au carrefour...

— Vous tournez à droite et vous passez sur le pont...

— Je tourne à droite et je passe sur le pont...

— Ensuite, vous prenez la première à gauche, puis la deuxième à droite.

— Ensuite, je prends la première... Oh, là, là ! C'est pas simple ! Je ne me
souviens pas ! La première à droite ?

— Non ! D'abord la première à gauche, puis la deuxième à droite.

— Ah oui ! Merci beaucoup !

C'est en France

ÉCOUTE !

  [ã]

habitant
Mimizan
ensuite
attendre
C'est grand

[ɛ̃]

province
train
bien
loin
C'est simple

[õ]

Dijon
pardon
pont
non
C'est compliqué

*Oh ! Il y a maintenant
un grand train sur le pont !*

Je t'explique...

aller au / à la / à l'...

c'est ...	je vais ...
Mimizan	à Mimizan
le cinéma	*au* cinéma
la poste	*à la* poste
*l'*hôtel	*à l'* hôtel
*l'*usine	*à l'* usine

Conjugaison

prendre	*se souvenir*
je / tu prends [prã]	*Je me souviens*
on prend [prã]	*on se souvient*
vous prenez [prəne]	*vous vous souvenez*
ils prennent [prɛn]	*ils se souviennent*

Comment ? En voiture, à pied...

en (= dans)
en voiture   *en* avion
en bateau   *en* train

à (= sur)
à pied   *à* moto
à bicyclette / *à* vélo   *à* cheval

Où ? Où est-ce ? C'est où ? / Comment je fais pour aller à .... ?

C'est	*Au nord / au sud / à l'est / à l'ouest / au nord-ouest / au sud-est...*
	Au nord / à l'est / au sud-ouest de...
	Près (de...) / loin (de...) / pas loin d'ici
	Avant / après (le pont, la gare,...)
C'est situé	*Tout droit à gauche / à droite (de...)*
Ça se trouve	*À cent mètres (100 m), à cinq minutes (5 mn) en voiture /*
	à pied, à deux kilomètres (2 km) (de...)

Allez tout droit jusqu'au carrefour.
Tournez à droite / à gauche...
Prenez la première (rue) à droite
*   la deuxième après le pont ;*
Il y a 500 m jusqu'à la gare.

→ y

Tu vas **à** Paris ? → Oui, j'**y** vais / Non, je n'**y** vais pas.
Vous êtes **en** France ? → Oui, j'**y** suis.
Il habite **à** Lyon ? → Oui, il **y** habite / Non, il n'**y** habite pas.
Elles vont **au** cinéma ? → Oui, elles **y** vont.

→ 1*er*, 2*e*, 3*e*...

1er = premier / première ; **2**e = deuxième (second / seconde) ; **3**e = troisième ; **4**e = quatrième ;
5e = cinquième ; **6**e = sixième ; **7**e = septième ; **8**e = huitième ; **9**e = neuvième ; **10**e = dixième ;
11e = onzième ; **12**e = douzième ; **13**e = treizième ; **14**e = quatorzième ; **15**e = quinzième ;
16e = seizième ; **17**e = dix-septième ; **18**e = dix-huitième ; **19**e = dix-neuvième ;
20e = vingtième ; **21**e = vingt et unième...

avant-dernier / dernière, dernier / dernière.

À toi de parler !

1 Tu y vas comment ?
— Je vais au cinéma.
— Tu y vas comment, à pied ?
— Non, j'y vais à vélo.

| **cinéma** → poste, gare, Paris, Honolulu
| **pied** → voiture, moto, avion, bateau...

2 C'est où ?
— C'est où, Annecy ?
— C'est au sud de Genève, entre Genève et Chambéry

▌ **Annecy** → Vienne, Bourg-en-Bresse...
Aidez-vous de la carte

3 C'est loin ?
— Chambéry, c'est loin de Lyon ?
— Pas très loin.

— C'est à combien de km ?
— C'est à 102 km de Lyon

| **Chambéry / Lyon** → Roanne / Lyon / Grenoble / Annecy...
Aidez-vous de la carte

4 J'arrive où ?
— Je suis à Nantua, je fais 66 km vers le sud-ouest. Je tourne à droite, et je fais 88 km vers l'ouest. J'arrive où ?
— À Roanne.

| **Nantua** → Lyon, Grenoble...
| **66 km S.O + 88 km O** → ...

5 C'est le premier ?
— C'est le premier ?
— Mais non, c'est le deuxième !

Continuez : 1 → 2 → 3 ...

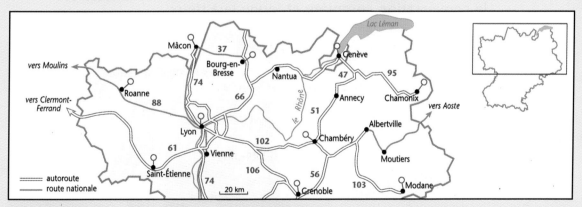

Activités complémentaires dans le *Cahier d'activités* p. 42 à 43

À toi de
jouer !

1 Comment je fais
pour aller chez toi ?

Lui : — Comment je vais chez toi ?
Elle : — C'est simple, tu ...

**Regardez le plan et continuez
(à deux) la conversation au téléphone**

2

Désolée

**Reconstituez la conversation,
écoutez-la puis jouez-la à deux :**

— Ah ? Désolée, je ne suis pas d'ici.
— Je cherche le musée...
— Pardon ...
— Le musée ? Il y a un musée, ici ?
— Oui, le musée de l'automobile.
— Oui ?

3 Taxi !

**Lisez le début et la fin de la conversation.
Imaginez les 4 ou 5 répliques qui manquent, puis écoutez
la conversation complète et jouez-la à deux.**

— Taxi ! Euh, bonjour, Monsieur,
je vais au musée de l'Automobile.
— Au musée de l'auto ?
...
...
...
...
— Ah bon ! Merci !

4 Jeu de rôles : la visite d'un(e) ami(e)

L'élève qui choisit le rôle A reste lui- / elle-même

L'élève qui choisit le rôle B joue le rôle d'un(e) ami(e) français(e)
qui arrive dans la ville de A .

Il / elle téléphone à A pour lui demander comment aller chez lui / elle.

B prend des notes.

Ensuite, vérifiez à deux (A et B relisent les notes de B).

5 Qu'est-ce qu'ils peuvent dire ?

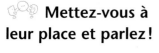 **Mettez-vous à
leur place et parlez !**

6

Message

Continuez le message

« Salut Junie !

On t'attend
chez Thomas.
C'est facile :
tu prends la … »

Autres activités voir *Cahier d'activités* p. 44 à 47

Pour ou contre la bise?

Salut ! Ça va ?

Le bisou entre copains et copines

La bise ou le bisou du matin

Sur Internet, sur le chat (le « tchat », « la tchatche »), on écrit :
« :-x » ou « biz! » (= bise)
« :-X » ou « Bizzz! » (= bises)

---

le forum du collège > *La bise en france*

Êtes-vous pour ou contre la bise à des garçons le matin ?

Nouveau sujet | Remonter au début | Retour au sujet | Chercher Sujet précédent | Sujet suivant

de: Caroline, France

Pour ou contre faire la bise à tout le monde, les garçons et les filles, quand on arrive le matin au collège, ou seulement aux filles ? Répondez ! Bizzz !

Répondre à ce message

Ré de: Anne, Angleterre

Oui, mais combien ? Une, deux, trois ou quatre ? On fait combien de bises en France, le matin ?

Répondre à ce message

Ré de: Jessica, Belgique

Chez moi en Belgique, c'est une bise (à droite) avec les copains et copines, et trois avec la famille (droite-gauche-droite). On ne fait pas la bise en Angleterre ? C'est une très bonne idée de Caroline de proposer ce forum. Biz

Répondre à ce message

Ré de: Caroline, France

Dans ma région, les Alpes, on fait 2 bises. 4 bises, c'est seulement pour les très bonnes copines. Dans mon collège aussi les profs sont contre la bise entre mecs et filles… Bizzz !

Répondre à ce message

Ré de: Juan, etc. Espagne

On est pour faire la bise. C'est sympathique. On est maintenant en classe de français devant l'ordinateur. Dans notre pays, en Espagne, on ne se fait pas la bise entre garçons et filles.

Répondre à ce message

Ré de: Axelle, Tahiti

Je suis pour, mais je fais la bise à 3 garçons seulement, le matin. Pourquoi faire la bise à tout le monde ?

Répondre à ce message

Répondre (merci de préciser votre prénom et votre pays)
http://www.colleges.net/forum/bisedumatin.html

Préparation au DELF (2)

Pour vous préparer à l'épreuve orale

1. 🎧 Écoutez les dates du quiz de la page 28

2. 🗣 Dites en français ces numéros de téléphone :
05 52 45 76 83 – 06 76 96 11 25 – 01 71 34 16 99 – 03 66 75 84 93.

3. 🗣 Donnez en français votre numéro de téléphone, et notez celui de votre voisin(e)

A1, oral collectif

🎧 **Écoutez deux fois et répondez**

1. **Quel est le numéro de téléphone ?** ... ...
C'est le numéro de : un café
une gare
un hôtel
un supermarché

2. **Quel est le numéro de téléphone ?** ... ...
C'est le numéro de : un café
une gare
un hôtel
un supermarché

A1, oral individuel (exposé – entretien)

🗣 **Décrivez votre maison ou votre appartement**
Aide : situé, adresse, étage, chambre, …

A1, écrit

🖊 **Vous êtes en vacances à... (choisissez ou imaginez) et vous envoyez une carte postale à un ami français. Écrivez le texte de la carte (entre 30 et 40 mots).**

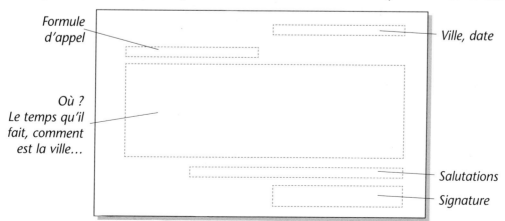

Formule d'appel

Ville, date

Où ?
Le temps qu'il fait, comment est la ville...

Salutations

Signature

Évaluation

1 🗣 **Compréhension orale** *(5 points)*

A. Trouver la route de Dinan, c'est simple. vrai / faux

   Pour Dinan, on tourne à droite. vrai / faux

   Dinan se trouve à 20 km. vrai / faux

B. Elle cherche un livre. vrai / faux

   Il sait où est le livre. vrai / faux

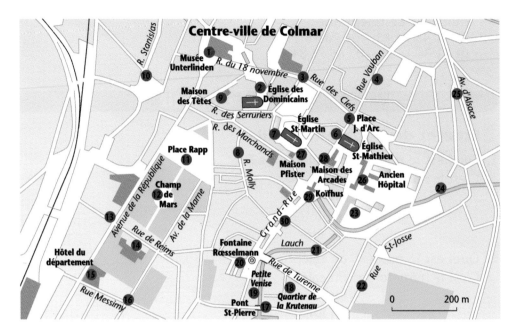

2 **Expression orale** *(5 points)*

Expliquez comment aller de 1 à 18, ou de 4 à 24, ou de 2 à 6.

3 **Expression écrite** *(5 points)*

Décrivez la ville où vous habitez (5 phrases).

4 **Connaissance de la langue** *(10 points)*

Complétez :

1. — Tu vas au lycée … pied ? — Non, j'… vais … bus.
2. — … savez où il y a un café ? — Il y a … café de la gare, …-bas.
3. — Il y a … taxis sur la place … l'église, à gauche … pont.
4. — C'… l'hiver et il … très froid. Il fait nuit et j'… un peu peur.
5. — … printemps, il fait mauvais et il … beaucoup, ici ! Mais … été, il fait beau.
6. — Je vais … Brésil … bateau.
7. — Tu n'as pas faim ? — …, j'ai faim.
8. — Tu as un téléphone ? — Non, je n'ai pas … téléphone.
9. — Je cherche les photos, elles sont où ? — Quel … photos ?

5 **La francophonie** *(5 points)*

A. **Écrivez le nom de 3 pays où le français est langue maternelle :**

....

B. **Écrivez le nom de 2 pays où le français est langue officielle ou**

Séquence

3

objectifs

👆Tu aimes...?

1
ANNE : — Tu aimes Monsieur Duval ?
LÉA : — Le prof de maths ? Ah non, alors ! Pas du tout !
ANNE : — Pourquoi ça ?
LÉA : — Eh ben, parce qu'il est vieux et ennuyeux comme la pluie.
Voilà pourquoi !
ANNE : — Et quel prof tu préfères ?
LÉA : — Le prof de français : il est plus jeune et plus sympathique,
tu ne trouves pas ?
ANNE : — Oh si ! Et en plus, il est beau, lui !

* marrant = amusant

2
KÉVIN : — Dis, tu aimes Elena Costa ?
AURÉLIE : — Ah non, elle n'est pas belle !
KÉVIN : — Et Lino del Capo, tu aimes ?
AURÉLIE : — Oh oui ! Lui, il est beau !
KÉVIN : — Elena est américaine, non ?
AURÉLIE : — Mais non ! Elle est française !
KÉVIN : — Et Lino, il est français, lui aussi ?
AURÉLIE : — Mais non ! Il est américain !
KÉVIN : — Ah bon ? Ils ne sont pas italiens,
elle et lui ?
AURÉLIE : — Oh, toi alors... !

Qu'est-ce qu'elle est belle ! Et en plus elle est intelligente !

Qu'est-ce qu'elle est bête ! Et en plus elle est *moche !

3 Loïc : — Qu'est-ce que tu préfères, la moto ou le vélo ?

Thomas : — Moi, c'est le vélo, bien sûr.

Loïc : — Et pourquoi donc ?

Thomas : — Parce que c'est plus sportif que la moto !

Loïc : — D'accord, peut-être, mais la moto, c'est moins fatigant et c'est plus confortable.

Thomas : — Moi, je n'aime pas la moto. D'abord, c'est cher et puis ce n'est pas amusant.

Loïc : — Eh, les copains, vous entendez ça ?! Il est fou, lui, il n'aime pas la moto !

4 — Ça ne te plaît pas les voitures de sport ?

— Si, mais je préfère les petites voitures.

— Quelles « petites voitures » ?

— Eh ben, la petite Peugeot par exemple, ou la petite Renault. Ce sont des voitures très amusantes et pas chères.

— Moi, à côté des voitures de sport, j'aime les motoneiges. On ne s'ennuie pas avec une motoneige ! C'est sympa et ça va partout…

— D'accord, mais qu'est-ce que tu fais, avec une motoneige, en été, hein ?

Écoute! 🔊

Liaisons	
– C'est_amusant.	– La rue des_Églises, c'est_à gauche ?
– Il est_italien.	– Oui, peut-être…
– Elle est_espagnole.	– Je vous_en prie.
– C'est très_amusant.	– Tu habites à Paris ? [abitapari]
– Vous_êtes français ?	– Ils habitent à Paris ? [ilzabitapari]

Je t'explique…

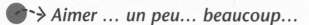

→ Conjugaison : *s'ennuyer*

Je m'ennuie   *Vous vous ennuyez*

Tu t'ennuies   *Elles / ils s'ennuient*

Elle / il / on s'ennuie

> Elle m'aime un peu,
> beaucoup…

→ *Aimer … un peu… beaucoup…*

+++   *J'adore ça*

++   *J'aime beaucoup ça*

+   *J'aime ça / J'aime bien ça / Ça me plaît*

–   *Je n'aime pas beaucoup ça / Ça ne me plaît pas trop*

– –   *Je n'aime pas ça*

– – – *Je n'aime pas du tout ça / Je déteste ça*

> **– Elle / il aime ça ?**
> **– Oui, beaucoup / – Non, pas du tout.**
>
> **– Elle / il n'aime pas ça ?**
> **– Si, au contraire, beaucoup ! / – Non, pas du tout !**

→ *Grand / grande / grands / grandes*

Il est grand, pas gros, brun, jeune, amusant, sympathique.

Elle est grande, pas grosse, brune, jeune, amusante, sympathique.

Ils sont grands, pas gros, bruns, jeunes, amusants, sympathiques.

Elles sont grandes, pas grosses, brunes, jeunes, amusantes, sympathiques.

Attention ! *un garçon sportif / une fille sportive*
(Pour d'autres adjectifs, voir Mémento grammatical p. 121.)

→ *Un grand vélo, un vélo amusant*

Attention ! On met quelques adjectifs avant le nom :
bon / bonne, beau / belle, petit, grand, vieux / vieille, gros / grosse, mauvais

Exemple : *une belle maison, un vieux monsieur, les grandes villes.*

→ *Plus, moins, aussi...*

*Julie est **plus** grosse **que** Gaëlle, et elle est **moins** sportive **qu'**elle.*

*Arnaud est **aussi** sportif **que** moi. Il est **meilleur que** moi en mathématiques, mais **moins** bon en histoire.*

*Le vélo de Julie est **moins** rapide **que** le vélo de Zoé.*

+ *Plus*			+ ~~*Plus bon(ne)*~~ → *meilleur(e)*	
= *Aussi*	*adjectif*	*que...*	= *Aussi* bon(ne)	*que...*
– *Moins*			– *Moins* bon(ne)	

→ *Pourquoi ? parce que*

— *Pourquoi tu n'aimes pas la moto ?*

— *Parce que je préfère le vélo. Et je préfère le vélo parce que je suis sportif, moi !*

À toi de parler !

❶ Au contraire !

— Kévin est plus vieux que Jean, non ?

— Ah non, au contraire ! Il est plus jeune.

> **Kévin / Jean** → Coralie est plus petite que Fanny, Aurélie est plus riche que Mathieu, le CD est meilleur que la cassette, les DVD sont plus amusants que les BD...

❷ C'est vrai !

— La moto est plus rapide que le vélo.

— C'est vrai ! Le vélo est moins rapide que la moto.

> **Moto / vélo** → Les BD sont plus amusantes que les livres, les professeurs sont moins jeunes que les élèves, à Madrid, il fait moins froid qu'à Oslo...

❸ Mais non, pas d'accord !

— Une voiture est plus chère qu'une moto.

— Mais non, pas d'accord ! Une moto est aussi chère !

> **Une voiture / + cher / une moto** → François / – sympathique / Michel ; le bus/

> = rapide / le métro ; Sylvie et Muriel / + vieux / Julien et Thomas ; les filles / – sportif / les garçons ; la salle de bains / + beau / cuisine ; les grosses voitures / ? confortable / ? ; la cassette / + bon / le CD...

❹ Il est mauvais ?

— Le CD, là, il te plaît ?

— Quel CD ? Ah ! Non, il est mauvais !

— Ah bon ? Pour toi, c'est un mauvais CD ?

— Oui.

> **CD** → BD, livre, voiture, vélo, garçon, maison...
>
> **mauvais** → ennuyeux, stupide, intelligent, bon, beau, laid...

❺ Je préfère !

— Tu n'aimes pas les chats ?

— Si, mais je préfère les chiens.

> **Chats / chiens** → cassettes / CD, livres / bandes dessinées, radio / télévision, train / avion...

Activités complémentaires dans le *Cahier d'activités* p. 48 à 49

À toi de
jouer!

1 Ils sont fous!

— Tu aimes les petits chats ?
— Non, je préfère les chiens sportifs.
— Et les livres amusants, ça te plaît ?
— Non, je préfère les vieilles cassettes.

Continuez!

2 Ils sont encore plus fous!

— Le chat d'Émilie est moins sympa que le chien de Loïc.
— Peut-être, mais le chien de Loïc est plus grand que le vélo d'Audrey.
— D'accord, mais le vélo d'Audrey est plus beau que l'armoire de Dimitri ...

Continuez!

3

Puzzles

 Reconstituez les phrases.

A. à   aime   Elle   la   l'   n'   opéra   télévision.   pas

B. à   aime   j'   la   les   mais   Si,   sports,   pas   télévision!

C. aimez   américain?   le   n'   Vous   cinéma   pas

4

J'adore...!

 Reconstituez la conversation, jouez-la puis écoutez-la.

— Italien ? J'adore les Italiens !
— Vous aimez le cinéma ?
— J'adore le cinéma italien ... Dites, vous, vous êtes de quelle nationalité ?
— Oui, beaucoup.
— Je suis italien.
— Le cinéma français ? Italien ?

Lui, il aime / Elle, elle aime...

A. Notez ce que vous aimez et ce que vous détestez.

B. Puis échangez vos notes et parlez avec un(e) autre voisin(e).

Exemple : — Il / elle aime le cinéma ?

— Oui, ...

— Il / elle n'aime pas la télévision ?

— Si ..., mais il / elle n'aime pas les sports

6

Moi, non, pas du tout !

— Moi, j'adore les sports, et toi ?
— Moi, non ... Je préfère ...

Continuez la conversation au téléphone :

7 **Présentation**

Brandon Smith se présente sur son site Internet.

| ab | Police par défaut ▼ | Taille du texte ▼ | G | I | S | T | ≡ ≡ ≡ | ≣ ≣ ≣ |

Bonjour, je m'appelle Brandon. Je suis canadien, d'Ottawa, au Canada, bien sûr.

Je parle anglais et je comprends un peu le français et l'espagnol. Qu'est-ce qui me plaît ? Le sport ! J'aime beaucoup la motoneige, le football américain et le tennis.

Qu'est-ce que je déteste ? Le sport... à la télévision !

Vous êtes avec Brandon à une fête et vous le présentez à madame Duchêne.

8

NOM : Duchêne
PRÉNOM : Claire
NATIONALITÉ : Suisse
ADRESSE : 3, chemin des Remparts. Lausanne
GOÛTS : télévision, ski, vieilles voitures, football.

Présentez quelqu'un

D'après la fiche de Claire Duchêne, imaginez et écrivez comment elle se présente sur Internet.

Autres activités voir *Cahier d'activités* p. 50 à 55

Tu as une grande

1

LAETITIA : — On rentre ensemble ?

MATHIEU : — Qui ? Nous deux ? D'accord !

LAETITIA : — Tu connais Anaïs ?

MATHIEU : — Non, c'est qui ?

LAETITIA : — C'est une bonne copine. Elle ressemble à Léa Costa, l'actrice, tu vois ?

MATHIEU : — Et elle a quel âge, Anaïs ?

LAETITIA : — On a le même âge. Elle a quatorze ans, comme moi.

MATHIEU : — Comme moi aussi, alors. Et elle habite où ?

LAETITIA : – Ici, à Toulouse, rue Jean Jaurès. Tu connais ?

2

MARIE : — Tu as une grande famille ?

GAËLLE : — Oui, j'ai un petit frère et une grande sœur.

MARIE : — Ton petit frère a quel âge ?

GAËLLE : — Oh, c'est un bébé, tu sais, il a un an seulement.

MARIE : — Et ta sœur, alors ?

GAËLLE : — Elle, elle a dix-sept ans.

MARIE : — Et tes parents ? Ils sont jeunes ?

GAËLLE : — Ben, ma mère a trente-neuf ans et mon père trente-huit.

famille ?

3 MARIE : — Qu'est-ce qu'il fait, ton père ?

GAËLLE : — Il est employé. Il travaille dans une entreprise de VTT.

MARIE : — Une quoi ?

GAËLLE : — Une usine de vélos tout-terrain, quoi !

MARIE : — Et c'est quel genre ?

GAËLLE : — Qu'est-ce que tu veux dire ? L'usine ?

MARIE : — Mais non, ton père !

GAËLLE : — Oh, mon père… Eh ben, il est très grand, très beau, je trouve, et très tranquille… et il aime la danse et l'opéra… Il porte des lunettes et il a une belle barbe. J'ai aussi une grand-mère… elle a soixante-sept ans, et un grand-père… lui, il a quatre-vingt-quatre ans… J'ai aussi trois cousins.

MARIE : — Ils ont quel âge, tes cousins ?

GAËLLE : — Euh, attends… mes cousins ont douze, quinze et dix-sept ans. Ah, j'ai encore une cousine ! Elle a vingt-trois ans et elle est mariée. Son mari, c'est aussi mon cousin, hein ! Il a vingt-trois ans lui aussi. Bon, eh ben, voilà : tu connais l'âge de tous les gens de ma famille !

Tu as une grande famille ?

Écoute!

[ø]		[œ]	
	deux		neuf
	le monsieur		la sœur
	il est vieux		elle est jeune
	c'est ennuyeux		j'ai peur
	qu'est-ce que tu veux, Mathieu ?		seulement
			leur voiture
			ils veulent ça.

[œ]	neuf [nœf]	[sis]	six [sis]
[œ]	neuf livres [nœflivr]	[si]	six cousins [sikuzɛ̃]
[œ]	neuf‿ans [nœvɑ̃]	[siz]	six‿enfants [sizɑ̃fɑ̃]
[ɛ̃]	vingt [vɛ̃]	[dis]	dix [dis]
[ɛ̃]	vingt BD [vɛ̃bede]	[di]	dix BD [dibede]
[ɛ̃]	vingt-deux [vɛ̃tdø]	[diz]	dix‿amis [dizami]
[ɛ̃]	vingt‿usines [vɛ̃tyzin]		

Je t'explique...

→ Conjugaison : *trois verbes*

Connaître	*vouloir*	*dire*
je connais / tu connais	*je veux / tu veux*	*je dis / tu dis*
elle / il / on connaît	*elle / il / on veut*	*elle / il / on dit*
nous connaissons	*nous voulons*	*nous disons*
vous connaissez	*vous voulez*	*vous dites*
elles / ils connaissent	*elles / ils veulent*	*elles / ils disent*

→ Mon, ma, mes...

je	**mon** *nom*	**ma** *rue*	**mes** *livres*
tu	**ton** *prénom*	**ta** *voiture*	**tes** *BD* / **tes** *CD*
elle / il	**son** *domicile*	**sa** *maison*	**ses** *parents* / **ses** *sœurs*
on / nous	**notre** *ville*	**notre** *village*	**nos** *amis* / **nos** *amies*
vous	**votre** *professeur*	**votre** *voiture*	**vos** *cousins* / **vos** *cousines*
ils / elles	**leur** *école*	**leur** *âge*	**leurs** *amis* / **leurs** *amies* [lœrzami]

Attention! ma / ta / sa + a, e, i, o, u → **mon** / **ton** / **son**

Exemple: **mon** *école,* **ton** *usine,* **son** *adresse,* **mon** *amie,* **ton** *étagère,* **son** *actrice préférée...*

→ On ou nous ?

on = tout le monde, les gens, des gens

Dans ce village, on parle français.
On écrit Anne avec deux n.

on = nous

On rentre ensemble = Nous rentrons ensemble.
On a le même âge = Nous avons le même âge.

→ Qui est-ce / c'est qui ?

— *Tu connais Jérémy / Anaïs ?*
— *Comment est-ce qu'elle / il s'appelle ?*
— *Où est-ce qu'elle / il habite ?*
— *Quel âge est-ce qu'elle / il a ?*
— *Qu'est-ce qu'elle / il fait ?*

— *Non, qui est-ce ? / c'est qui ?*
— *Elle / il s'appelle comment ?*
— *Elle / il habite où ?*
— *Elle / il a quel âge ?*
— *Elle / il fait quoi ?*

→ Question d'âge...

Demander l'âge :

Dire son âge / dire l'âge d'une personne :

Commenter :

— *Tu as quel âge ?*
— *Elle / il a quel âge, tu crois ?*

— *J'ai quinze ans, je suis né / née en 1999*
— *Elle / il a trente ans, je crois.*

— *Tu es jeune, dis donc ! / – Elle est vieille !*

À toi de parler !

❶ C'est ta maison ?

— La maison, là, c'est ta maison ?
— Non, ce n'est pas ma maison, c'est
  la maison de Marc.
— Ah bon ? C'est sa maison ?

La maison → le vélo, la voiture,
le bateau, l'auto, le livre, l'adresse…
Marc → Lucie, mes parents, mon frère,
mes cousins…

❷ Devinettes

— Le frère de ta mère,
  qui est-ce ?
— C'est mon oncle, bien sûr !

Le frère de ta mère → la mère
de ton père, la fille de ton oncle,
la sœur de ton cousin, le frère de
la fille de la femme du frère de ta
mère.

❸ Question d'âge

— Tu as quel âge, toi ?
— Moi, vingt-cinq ans, pourquoi ?
— Tu es vieux, dis donc !
— Vieux ? Tu as quel âge toi ?
— Moi, j'ai quatorze ans.

25 ans → 10 ans, 13 ans, 80 ans…
14 ans → 30 ans, 6 ans, 8 ans…

1. ma sœur
2. moi
3. ma mère
4. mon père
5. mon oncle
6. ma tante
7. mon cousin
8. ma grand-mère
9. mon grand-père

Activités complémentaires dans le *Cahier d'activités* p. 56 à 57

À toi de
jouer !

1   **Il est pas mal !**

   Complétez avec un mot…

— Ce n'est pas … copain, là ?
— …! C'est mon copain.
— Dis donc, il … beau !
— Oui, … mal.
— Il … quoi ?

— Qu'est-ce … tu veux … ?
— Eh ben, comme sport.
— Ah, il est très … .
— D'accord, mais … sport ?
— Il … le VTT … la moto.

   … puis jouez cette conversation.

2

Il a quel âge, tu crois ?

   Regardez le dessin et discutez.

— Lui, il a quel âge, tu crois ?
— Je ne sais pas. 30 ans, peut-être ?

Continuez :

— Et le vieux monsieur ?
— Je crois que c'est le grand-père de …
— Et la petite fille ?
— Je crois que…, etc.

3

Conversation sur Internet

Sur Internet, sur le « chat », on écrit vite : on n'écrit pas tout.

A.   **Corrigez et complétez les phrases de cette conversation.**

B.   **Continuez la « tchatche » : « H20 » s'appelle Herbert Oozeer.**

(H2O) Salut !	**(Manou)** D'accord, mais âge ?	**(H2O)** H2O
(Manou) salut.		**(Manou)** C'est ton prénom ?
(H2O) français ?	**(H2O)** et toi ?	
(Manou) française	**(Manou)** 20	**(H2O)** Non, prénom = H
(H2O) âge ?	**(H2O)** 16	
(Manou) et toi ?	**(Manou)** fille ?	**(Manou)** Hervé ? Henri ? Hubert ?
(H2O) belge	**(H2O)** non	
	(Manou) ton prénom ?	

4 On y va?

 Dites si « on » correspond à « nous » ou à « tout le monde, les gens en général » dans les phrases suivantes.

	?	nous	tout le monde / les gens
À Montréal, on parle français.			
On ne fait pas de sport à l'âge de deux ans.			
On va au cinéma ?			
Dans ce village, on ne regarde pas la télévision.			
Dans ma famille, on préfère le football.			
Pour aller au collège, on passe sur un pont.			
Qu'est-ce qu'on fait ? On tourne à gauche ?			

5

Questionnaire

 Vous préparez une enquête sur les goûts, les préférences, les loisirs. Écrivez vos questions.

a. À un enfant :

— Tu as quel âge ?
— Qu'est-ce que tu …

b. À un jeune couple :

— Vous …

c. À un jeune de votre âge

Ensuite, posez vos questions à votre voisin(e)

6

Jeu : c'est qui ?

Vous choisissez un élève de la classe et les autres cherchent qui c'est.

Il / elle ressemble à qui ? C'est quel genre ?
Il / elle est comment ? grand(e) ? blond(e) ?
Il / elle porte des lunettes ? …

7 Conversation

Choisissez un rôle et regardez les fiches de jeux de rôles (*Cahier d'activités* A, p. 12 ; B, p. 55). A est chez des amis français. Il parle avec B, le jeune garçon de ces amis.

8

Lettre à un correspondant

Julie Barnier écrit à un correspondant pour la première fois. Continuez la lettre (elle se présente, et elle présente sa famille).

Lyon, le 12 avril

Cher Arthur,
Je cherche un correspondant canadien, alors je t'écris.
Je me présente : ……………………………………
J'attends ta réponse. Amicalement,
Julie

Autres activités voir *Cahier d'activités* p. 58 à 61

Mémo *(cinquième épisode)*

Erreur !
RUE JEANNE D'ARC
Maintenant, où est ma maison ?
LANGERIE
L'ÉPI D'OR
LA MAISON DU PLAFOND TENDU
RUE DU POIRIER
Dis maman, on habite où ?
Rue du Poirier ?... Non merci, je veux chercher seul.
L'ÉTINCELLE
Pardon, madame, la rue du Poirier, SVP ?
Excusez-moi, je cherche la rue du Poirier.
Moi aussi, Monsieur, je la cherche.
Dis, Thomas, ça va ? Tu me dis vous maintenant ? Pourquoi tu ne viens pas au lycée en ce moment ?
Oh Ça fait beaucoup de questions ! Et c'est une histoire compliquée... Voilà : je ne me souviens de rien.
De rien ? Pas de moi ? Tu exagères ! On est dans la même classe depuis 2 ans !
Excuse, Chloé. Maintenant, je me souviens un peu.

☝ Tous les jours

1 **Emploi du temps 1**

Julien est ouvrier dans une usine. Il y va à pied parce qu'il n'habite pas loin de l'usine. Il part de chez lui le matin à 8 heures et il arrive à l'usine à 8 heures 20. Il commence à travailler à 8 heures et demie. À midi, il rentre à la maison pour déjeuner. Il retourne à l'usine un peu avant 2 heures et il y reste jusqu'à 6 heures de l'après-midi.

Le soir, il dîne en famille vers 7 heures et demie ; ensuite, il regarde la télévision. Il se couche vers 10 heures du soir. Le samedi, il ne travaille jamais : il est libre jusqu'au lundi matin.

2 **Micro-trottoir**

— Madame, vous avez une fille, elle a 19 ans et elle est employée, c'est bien ça ? Elle se lève tôt ?

— Oh oui ! Tous les jours, sauf le samedi et le dimanche, elle se lève à 6 heures et demie. Après sa douche, elle prend son petit-déjeuner et elle va au travail en bus à 7 heures et demie. En général, elle y arrive un peu avant 8 heures.

— Et elle rentre déjeuner à midi ?

— Non, elle préfère manger dans une cafétéria et elle rentre à la maison vers 6 heures et demie. Elle regarde la télé jusqu'à 8 heures. À 8 heures, on dîne. Elle se couche tôt le soir : entre 9 heures et demie et 10 heures, sauf le samedi soir, bien sûr : elle sort avec des amis.

— Et elle fait quoi ?

— Elle va en *boîte, à la discothèque, si vous préférez…

3 Emploi du temps 2

Grégory travaille dans un bureau. Il y arrive tous les matins (sauf le samedi et le dimanche) mais toujours en retard. À midi, il mange au restaurant et il lit le journal. L'après-midi, il quitte le bureau en avance. Il se couche très tard le soir parce qu'il veut regarder tous les programmes de télévision. Il n'a donc pas le temps de dormir chez lui ; alors, bien sûr, il dort un peu au bureau ! Il n'y travaille pas beaucoup !

4 Métro, boulot, dodo !

Les gens, à Paris et dans les grandes villes, ont toujours peur d'être en retard : ils se dépêchent pour aller au travail et ils se dépêchent pour rentrer à la maison. Ils n'ont jamais le temps de vivre. Ils partent très tôt le matin… et ils rentrent tard le soir. Ils prennent le train, le bus ou le métro à l'aller et au retour.

En général, les gens rentrent à la maison pour manger, regarder la télé et dormir, tous les soirs, du lundi au vendredi…

Le week-end, c'est pour la famille.

ÉCOUTE!

Les jours de la semaine :

lundi [lɛ̃di] – *mardi* [mardi] – *mercredi* [mɛrkrədi] – *jeudi* [ʒødi] – *vendredi* [vãdrədi] – *samedi* [samdi] – *dimanche* [dimãʃ]

Je t'explique...

Conjugaisons

Voir la conjugaison des verbes croirc, lire, vivre, partir, sortir, dormir *et* se lever *dans le* Mémento grammatical p. 122.

Il est quelle heure ?

— *Il est quelle heure ? Vous avez l'heure ?*   — *À quelle heure ?*
— *Il est ...*   — *À ...*

L'heure courante	L'heure officielle	
midi	12 h 00	douze heures
midi cinq	12 h 05	douze heures cinq
une heure et quart	13 h 15	treize heures quinze
deux heures vingt-deux	14 h 22	quatorze heures vingt-deux
trois heures de l'après-midi	15 h 00	quinze heures
six heures du matin	06 h 00	six heures
six heures du soir	18 h 00	dix-huit heures
minuit	00 h 00	zéro heure
minuit trois	00 h 03	zéro heure zéro trois

Du matin au soir

5h – 6h	tôt le matin
7h – 12 h	le matin
12h	à midi

14h – 18 h	l'après-midi
18h – 22h	le soir
22h	tard le soir
24h	la nuit

Avant, après, vers...

avant 3 h   →   à 3 h   →   vers 3 h   →   après 3 h

Tout le – toute la – tous les – toutes les ...

Tout le temps. Toute la journée.   *Tous les jours. Toutes les nuits.*
Il chante toute la journée.   *Tous les matins, je me lève à 6 heures.*

→ La négation : ne… ni… ni…

J'aime les maths et l'histoire ≠ Je n'aime **ni** les maths **ni** l'histoire
Elle **ne** travaille **ni** le samedi **ni** le dimanche.

→ Tôt ≠ tard / en avance ≠ en retard

Il se lève tôt (à 6h). Il arrive en avance au travail (= avant l'heure).
Il se lève tard (à 9h). Il arrive en retard au travail (= après l'heure).

→ Toujours ≠ ne … jamais

Je mange **toujours** chez moi ; je **ne** mange **jamais** au restaurant : je déteste ça.

→ de / à, jusqu'à

Je pars à 7 heures du matin. Je rentre chez moi à 5 heures de l'après-midi.
Je travaille **de** 8 h **à** 4 heures.   8 h ◄————————————► 4 h
Le vendredi, je travaille **jusqu'à** 3 heures. ————————————► 3 h

À toi de parler !

❶ Tu as l'heure ?
— Quelle heure est-il ? / Il est quelle heure ? / Tu as l'heure ?
— Il est 6 heures.

06 : 00 → 06 : 15 → 06 : 30 → 09 : 45
→ 10 : 40 → 11 : 35 → 12 : 00 → 14 : 10
→ 15 : 05 → 16 : 20 → 21 : 15 → 23 : 55
→ 00 : 20

❷ Il part à quelle heure ?
Le vol AF 797 part à 7 heures 20 de Paris et arrive à Lyon à 8 heures 6.

AF 797 → SK 132 / KL 330 / UT 124 …

VOL	AF 797	AT 826	JU 092	SK 132	UT 124	AZ 062	IB 430
DÉP.	07 : 20	07 : 45	08 : 00	08 : 32	10 : 05	10 : 35	11 : 10
ARR.	08 : 06	09 : 40	09 : 55	12 : 01	16 : 00	12 : 25	13 : 15

❸ Quand ?
— Elle rentre chez elle quand ?
— Entre 6 et 7 heures du soir, je crois.
— Et avant ?
— Avant, elle travaille.

rentrer chez elle (entre 6 et 7 h)
→ prendre le bus (vers midi), partir (à 8 h), aller au restaurant (vers 13 h), travailler chez elle (tard le soir), aller à l'école (…), retourner au travail (…), dormir, sortir…

avant → après, le matin, l'après-midi ; le soir…

❹ Vous arrivez à quelle heure ?
— Vous arrivez au bureau à quelle heure ?
— À 8 heures.
— Et vous sortez du bureau à quelle heure ?
— Je quitte le bureau à 5 heures

le bureau → la banque, la poste, l'hôtel, le collège, l'usine, l'opéra, la gare, la maison…

8 h / 5 h → 9 h / 3 h 30 – 1 h / 7 h …

❺ Ni ici, ni là !
— Tu déjeunes au restaurant ou à la cafétéria ?
— Ni au restaurant ni à la cafétéria : je préfère déjeuner chez moi.

déjeuner, restaurant / cafétéria, chez moi → aller, cinéma / discothèque, opéra ; dormir là / hôtel, à la maison ; lire, fauteuil / chaise, mon lit.

Activités complémentaires dans le *Cahier d'activités* p. 62 à 65

À toi de jouer!

1 L'agenda d'Élodie

Vous êtes Élodie et vous présentez votre emploi du temps de cette semaine à un(e) ami(e).

— Lundi, je vais au lycée en bus. J'y reste de 8 à 16 heures …
— Et après?
— …

Lundi 13	Mardi 14	Mercredi 15
lycée (en bus) école chez Lucie	lycée (voiture avec papa) maison cinéma	lycée (bus) tennis supermarché

2 Moi, lundi, je…

Dites à votre voisin(e) quel est votre emploi du temps cette semaine.

3 Enquête: la journée type de…

Nom et profession	se lève à	arrive au travail à	déjeune	rentre chez lui/elle à	après le dîner	se couche vers
Jean Gibain *ingénieur*	07 : 00	08 : 30	restaurant	17 : 30	journal	23:00
Cécile Béranger *secrétaire*	07 : 45	09 : 00	cafétéria	18 : 15	télévision	23:30
Yves Linard *photographe*	06 : 30	08 : 15	à la maison	20 : 00	copain travail	22:30
Solange Rigaud *médecin*	07 : 00	10 : 00	hôpital	19 : 00	lecture	23:15
Isabelle Banois *employée*	06 : 15	08 : 00	cafétéria	18 : 15	télévision famille	22:30
Gilles Lobrot *architecte*	07 : 30	08 : 45	restaurant	17 : 30	théâtre cinéma	24:00

Présentez la journée type de ces personnes:

« Le matin, Jean Gibain se lève à … »

4 À l'aéroport

Complétez et jouez la conversation, puis écoutez-la.

— … ?
— Oui, il est onze heures.
— … ?
— Mais non, du matin!
— … ?
— Mais oui, … !
— Excusez-moi, mais …

— De Nouvelle-Calédonie? Ah, je comprends!
— Oui, là-bas, il est onze heures plus treize : il est minuit!
— Et ça prend … pour arriver ici?

— Vingt heures.
— Vingt heures ! C'est fatigant, non ?
— Oui. Bon, au revoir, bonne nuit !
— Non, bonne journée, vous voulez dire !

5 Enquête

 Jouez la conversation.

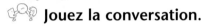

— Pardon, c'est pour une enquête …
pour savoir comment vivent les gens …
— Ah bon ? D'accord …
— Euh, vous vous levez à quelle heure ?
— Le week-end ?
— Non, en semaine.
— Je me lève tous les jours à 7 heures et
demie. Mais le samedi et le dimanche,
ça dépend… vers 9 ou 10 heures.
— Et vous vous couchez à quelle heure ?
— …

**Continuez la conversation,
puis posez les mêmes
questions à votre voisin(e)
et notez ses réponses :**

— En semaine,
il / elle …

6 Il travaille quand ?

 **Décrivez la journée de travail
d'un de vos parents, ou d'un oncle
ou d'une tante.**

7 Jeu : ni « oui », ni « non », ni « si ».

 **Vous posez des questions à votre voisin
sur ses goûts, son emploi du temps, sa famille…**

Il doit répondre mais il ne doit dire ni « oui »,
ni « non », ni « si ».

8 Lettre à un correspondant

Présentez votre journée type à votre correspondant.

Tu me demandes comment je vis, alors voilà ma journée type :
En semaine, le matin … Mais le week-end ….

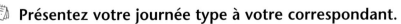

Autres activités voir *Cahier d'activités* p. 66 à 67

Les collégiens de

Une enquête a été faite en 2003 dans la région de Toulouse, par le conseil général des jeunes de la région.
Voici les résultats (questions et réponses) de cette enquête.

Question 1 As-tu...?

• une console de jeux vidéo	**70%**	• accès à Internet à la maison	**39%**
• un baladeur	**69%**	• une télé dans ta chambre	**36%**
• une chaîne hi-fi	**75%**	• une chambre pour toi seul	**84%**
• accès à un ordinateur à la maison	**71%**	• un compte en banque / livret de caisse d'épargne	**92%**
• un lecteur de CD	**72%**	• de l'argent de poche	**96%**
• un téléphone portable	**44%**	• des revenus provenant de ton travail (« baby-sitting »)	**18%**

Les garçons sont plus nombreux à posséder une console de jeux vidéo et une télévision dans leur chambre que les filles. Et les filles sont plus nombreuses à posséder un téléphone portable ou un lecteur de CD. Pour le portable, l'âge et le nombre de frères et sœurs sont importants : les jeunes en classe de 3e et sans frère ni sœurs ont plus souvent un portable que les plus jeunes (classe de 6e) ou ceux qui ont des frères et sœurs.

Question 2 Choisis-tu toi-même tes vêtements ?

Question 3 Décides-tu toi-même de tes loisirs ?

Même résultat aux deux questions :

• Toujours / Souvent	**94%**	• Rarement / Jamais	**6%**

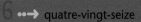

a région de Toulouse

Question 4 **Quel temps approximatif, en heures par semaine, tu passes à... ?**

•La télé, les cassettes vidéo et les DVD	10,3	•La lecture	3,2
•L'écoute de la musique	8,2	•Internet	1,3
•Le travail scolaire (en dehors de l'école)	6,1	•Une activité culturelle	1,1
•La pratique d'un sport	4,7	•La pratique d'un instrument de musique	0,8
•Les jeux vidéo	3,7		

Les garçons consacrent beaucoup plus de temps aux jeux vidéo et au sport que les filles. Mais les filles écoutent plus de musique et travaillent plus pour l'école que les garçons. Les plus jeunes regardent plus la télé que les plus âgés.

 À vous : faites une enquête dans votre classe. Comparez les réponses des garçons et des filles, et comparez vos résultats à ceux de l'enquête française.

La valise grise *(troisième épisode)*

Docteur, ça ne va pas... Je suis vraiment malade !

Qu'est-ce que vous avez, dites-moi ?

Oh, j'ai mal au ventre, j'ai mal à la tête aussi...

Vous avez de la fièvre, n'est-ce pas ?

Non, mais j'ai froid et j'ai chaud...

Ah ah ! Et vous fumez, hein ?!

Je fume beaucoup, oui... J'ai toujours envie de fumer !

Vous fumez trop, voilà tout ! Il faut arrêter de fumer, c'est dangereux pour la sant...

Je ne suis pas en forme, tu sais...

Qu'est-ce que tu as ? Tu as un rhume, ou quoi ?

Je ne sais pas... Peut-être... Mais je suis vraiment fatiguée...

Alors, il faut appeler un médecin !

Mais non ! Je n'ai pas de fièvre... Seulement 36,5.

Mais ce n'est pas assez, ça ! Il faut rester au lit et te reposer !

Non, non... je n'ai pas sommeil, je ne peux pas dormir...

Tu manges bien ?

Non, je n'ai jamais faim, mais j'ai toujours soif !

Mais tu ne peux pas rester comme ça, voyons !!

Bof ! Pourquoi pas

Je ne me sens vraiment pas bien, docteur...

Depuis combien de temps ?

Oh, depuis deux ou trois jours seulement...

Et vous avez de la fièvre ?

Non, je n'ai pas de fièvre, non... Mais j'ai très mal au ventre !

DOCTEUR LANGLOIS

MEDECINE GENERALE

Vous dormez bien, en général ?

En général, oui... Mais, depuis deux jours, je ne peux plus dormir...

cabinet du docteur Langlois ...

Qu'est-ce qu'il faut faire, docteur ?

Eh bien, il faut prendre une douche ou bien un bain très chaud avant de se coucher et, d'abord, arrêter de manger des sucreries... Voilà ... C'est simple, n'est-ce pas ?

Bonjour ...

Allô, ici madame Raffin. Mon mari se sent vraiment mal... Vous pouvez passer à la maison ?

Maintenant, c'est impossible, madame. Le docteur Langlois est absent. Je suis le docteur Herbey. Je peux passer chez vous vers sept heures. Votre adresse, s'il vous plaît ?

III-2

Alors, ça ne va pas, monsieur Raffin ?!

Oh non, j'ai mal au ventre et à la tête

Comment ? Vous aussi ?

Pardon ?

Euh... Depuis combien de temps vous avez mal comme ça ?

Eh bien, depuis hier matin...

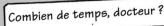

Ah... Et vous avez de la fièvre, dites donc ! 39,5 !!

Et c'est grave, docteur ?

Hum ! Vous avez une grosse grippe. Il faut prendre des médicaments, boire beaucoup et rester au lit...

Combien de temps, docteur ?

Voyons... On est lundi, aujourd'hui... Eh bien, vendredi, vous pouvez sortir.

Ah non ! Je ne peux pas rester ici jusqu'à vendredi !

DOCTEUR LANGLOIS
ATTACHÉ DES HOPITAUX
DE PARIS
MÉDECINE GÉNÉRALE
Tél. 01 24 37 34 72 13

Allons, allons... Voilà l'ordonnance pour les médicaments ...

ÉCOUTE! 🎤

Ça va ? ↗

Ça ne va pas ? ↗ Non, ça ne va pas ! ↘

Ça ne va vraiment pas ? ↘ Non, ça ne va vraiment pas ! →

Qu'est-ce que tu as ? Tu as un rhume ? ↗

Qu'est-ce que vous avez ? Vous avez la grippe ? ↗

Je t'explique...

◉⟶ Conjugaison

Voir la conjugaison des verbes *boire, se sentir, devoir* et *pouvoir* dans le Mémento grammatical p. 122.

◉⟶ Questions de santé...

Faire préciser

— *Comment vous sentez-vous ?*

— *Comment tu te sens ?*

— *Ça ne va pas ?*

— *Vous avez de la fièvre ?*

— *Vous avez mal où ?*

— *Ça va mieux, maintenant ?*

Répondre

— *Je me sens en (pleine) forme / pas (très) en forme.*

— *Je me sens fatigué(e).*

— *Non, ce n'est rien, seulement un peu de fatigue.*

— *J'ai mal à la tête, j'ai mal partout...*

— *Oh, j'ai un (gros) rhume / une petite grippe, mais ce n'est pas grave...*

◉⟶ Mieux ≠ moins bien, aussi bien

Attention ! : ~~plus bien~~ → mieux.

— *Aujourd'hui, je vais **mieux qu'**hier.*

— *Il chante **aussi bien que** toi, mais je chante encore **mieux que** lui.*

◉⟶ Avoir envie de...

J'ai sommeil = J'ai envie de dormir.

J'ai soif = J'ai envie de boire.

J'ai faim = J'ai envie de manger.

J'ai envie d'un week-end à la montagne.

◉⟶ Pour conseiller

— *Vous êtes fatigué(e)? Alors, **il faut** / vous **devez** vous reposer. **Il faut** vous coucher et dormir...*

— *Un enfant **doit** / tous les enfants **doivent** dormir 8 ou 9 heures par jour.*

— *Vous prenez votre voiture? Alors, **il ne faut pas** boire.*

— *Pour aller à la gare, **c'est mieux de passer** par la rue du Bac.*

◉⟶ Beaucoup / trop / pas assez...

*Il fume **beaucoup**.*
*Il fume **trop**.*
*Il fume vraiment **trop**.*

*Elle **ne** mange **pas beaucoup**.*
*Elle **ne** mange **pas assez**.*
*Elle **ne** mange vraiment **pas assez**.*

⬤⤏ *Avoir mal...*

*J'ai mal, il a mal, elles ont mal... **à la** tête, **à l'**œil (aux yeux), **au** ventre, **aux** dents*

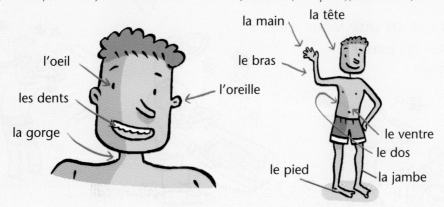

la main

la tête

l'oeil

le bras

les dents

l'oreille

la gorge

le ventre

le dos

le pied

la jambe

⬤⤏ *Depuis combien de temps ? Depuis quand ?*

Depuis combien de temps ?

Depuis une semaine / 2 ans...

Il est ici depuis longtemps.

Elle lit depuis une heure.

Depuis quand ?

Depuis hier / lundi / le 2 mai...

Il vit ici depuis 1990.

Il attend depuis midi.

À toi de parler !

❶ Ça va ?

— Ça va ?

— Non, je me sens mal. Je suis malade.

— Depuis combien de temps ?

— Depuis une semaine

être malade → être fatigué, avoir la grippe, avoir le rhume, être en vacances, être en forme...

une semaine → un jour, lundi, hier soir...

❷ Docteur !

— Docteur, j'ai mal à la tête !

— Vous buvez trop, il faut arrêter de boire !

la tête → ventre, dents, dos, gorge, yeux...

arrêter de boire → prendre/des médicaments, manger/des sucreries, se lever à 10 heures, chanter, lire au lit...

❸ On passe par où ?

— Pour aller de Paris à Poitiers, il faut passer par Nantes ?

— Oui, tu peux passer par Nantes, mais c'est mieux de passer par Orléans.

— Ah bon ? On doit passer par Orléans ?

Paris / Poitiers → Paris / Dunkerque – Orléans / Strasbourg – Marseille / Clermont-Ferrand – Metz / Toulouse...

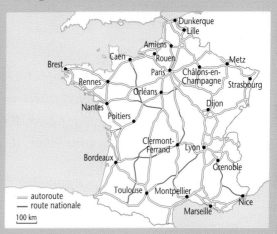

Activités complémentaires dans le *Cahier d'activités* p. 68 à 70

La Valise Grise *(troisième épisode)*

À toi de
jouer!

1 Qu'est-ce que vous avez ?
Faites-les parler !

2

Une bonne grippe

Vous êtes le médecin.
Répondez à la mère de Jérôme :

Continuez la conversation

— Docteur, mon fils a très
  mal à la tête …

— …

— Depuis ce matin

— …

— non, seulement 37,2°.

— …

— Oui, mais depuis hier,
  il ne peut plus dormir.
  Qu'est-ce qu'il faut faire ?

— …

— Quel médicament ?

— Voilà l'ordonnance. Il faut …

DOCTEUR F. JUILLARD
Médecine générale
Maison médicale
Avenue des Alliés
83240 CAVALAIRE
tél. 04 93 64 05 75

Jérôme Bertrand

1 comprimé de Dextinol

3 fois par jour, au repas
pendant 5 jours

F. Juillard

Écoutez la conversation, jouez-là…

…puis jouez-en d'autres du même genre.

être malade → être fatigué… avoir froid… avoir faim… avoir trop chaud… avoir sommeil…

4

Publicités

 Écrivez d'autres publicités…

Envie d'avoir froid…
Envie d'avoir chaud…
Envie de bien manger…
Envie d'être vraiment en vacances…
Envie de travailler plus / moins…

… puis lisez vos publicités à votre voisin(e)

Envie de partir…
Envie de mieux dormir…
Envie d'aller partout…
etc.

5

Rendez-vous chez le médecin

 A est malade, il téléphone à B (médecin). Il veut venir chez lui l'après-midi. B n'est pas libre. Il propose une autre date. A accepte, dit et épelle son nom. Ils se saluent.

Autres activités voir *Cahier d'activités* p. 71 à 73

Mémo *(sixième épisode)*

☝ Bon appétit !

1 THOMAS : — Tu fais la cuisine, chez toi ?

MANON : — Non, je ne fais jamais la cuisine. À la maison, je ne sais rien faire. Mais ma mère, elle est super !

THOMAS : — Tu dis ça, mais avec trois œufs, tu sais faire une omelette, non ?

MANON : — Non, parce qu'on est végétariens, chez nous.

THOMAS : — Alors, vous ne mangez jamais de viande, ni d'œufs ?

MANON : — Non. Ni viande, ni œufs. Mais on boit du lait.

THOMAS : — Vous avez des goûts bizarres, vous !

MANON : — Non. On mange tout sauf la viande et les œufs. C'est tout ! Mes parents pensent que c'est plus sain.

THOMAS : — Et toi, tu es d'accord ?

MANON : — Oui, je suis d'accord. Mais quand je suis chez les copines, je mange de tout…

2 ANTHONY : — Et c'est bon, la cafétéria ?

MÉLISSA : — Bof… Aujourd'hui, par exemple, il y a de la viande avec des frites, de la salade et du raisin ou un autre fruit.

ANTHONY : — Mais, ce n'est pas mal ! Tu préfères manger de la soupe, toi ?

MÉLISSA : — De la soupe à midi ? Ça ne va pas ? Non, moi j'adore les frites, mais il n'y a jamais assez de frites et puis elles ne sont pas aussi bonnes qu'à la maison… C'est comme ça aussi pour la viande. Alors, je mange plus volontiers le soir, au dîner !

* Bouffe : mot familier pour « nourriture »

3

MATHIEU : — Tu veux encore de la salade ?

NICOLAS : — Non, non, plus de salade pour moi.

MATHIEU : — Tu n'en veux plus ? Alors, tu veux du raisin ?

NICOLAS : — Non, je n'en ai pas envie. Je n'ai envie de rien.

MATHIEU : — Eh, tu ne te sens pas bien ?

NICOLAS : — Non, je suis malade.

MATHIEU : — Malade ? Depuis combien de temps ? Depuis cinq minutes ? Tu es un drôle de malade, toi ! Peut-être que tu n'as pas envie d'aller en maths, et tu préfères rester cet après-midi à l'infirmerie, et dormir ! C'est ça ?

NICOLAS : — Mais non, je ne suis vraiment pas en forme : j'ai chaud partout, j'ai de la fièvre, quoi !

MATHIEU : — C'est vrai ? Tiens, bois de l'eau. À ta santé !

4

— Dis maman, il y a encore des bonbons à la maison ?

— Non, il n'y en a plus ! Mais je n'en achète pas, tu en manges trop ! Tu veux faire comme ton cousin ?

— Mon cousin ? Qu'est-ce qu'il a, mon cousin ?

— Tu veux aller chez le dentiste toutes les semaines ? Il faut arrêter de manger des sucreries, des gâteaux et du chocolat, tu sais ! C'est très mauvais pour les dents.

— Maman, tu m'ennuies un peu avec tes conseils. Je ne suis plus un bébé !

— Je t'ennuie, peut-être, mais c'est mieux de manger moins de sucre, et plus de légumes et de fruits. Bon, maintenant il faut acheter du pain. Tu viens avec moi ?

— D'accord, maman. Volontiers. On achète aussi des croissants ?

Le Monde

Les Français sont de plus en plus sensibles à l'importance du « bien manger »

Bon appétit!

La semaine de mon ami

Le lundi, il reste au lit

Le mardi, il dort toute la nuit

Le mercredi, il se repose aussi

Le jeudi, il se lève à midi

Le vendredi, il n'a pas envie

d'aller à Paris le samedi

... Et le dimanche, c'est la folie!

Je t'explique...

Conjugaisons

Voir la conjugaison des verbes *acheter* et *venir*, dans le Mémento grammatical p. 122

Du, de la, de l', des

Pour une quantité non précisée

*L'eau minérale et **les** fruits sont bons pour la santé. → À midi, au déjeuner, je bois **de l'**eau minérale et je mange **des** fruits et **du** pain*

*J'aime aussi **la** viande. → Le soir, au dîner, je prends **de la** viande.*

*Attention! On aime **la** viande: aimer, préférer, adorer, détester… + **le**, **la**, **les***

Du…, de la …, de l'…, des … → en

*Tu veux de l'eau? Oui, j'**en** veux bien merci*

*Tu prends des médicaments? Non, je n'**en** prends pas.*

Pour conseiller: l'impératif

Il faut boire de l'eau → bois / buvez de l'eau

Conjugaison: comme tu et vous (verbes en -er: comme je et vous).

Attention! Être → sois, soyez

Aller → va, allez

→ Combien de... / d'....

Pour une quantité précisée

*Combien de.... ? / ne... pas (jamais plus) de... / peu de... / un peu de... / beaucoup de... /
plus de... / moins de... / assez de... / trop de... / etc.*

— *Vous avez de la fièvre?*   — *Oui, j'ai beaucoup de fièvre.*

— *Elle mange des fruits?*   — *Non elle ne mange pas assez de fruits.*

— *Vous voulez du café?*   — *Non, merci, pas de café pour moi!*

→ Encore ≠ ne...plus

— *Il en reste encore?*   — *Oui, il en reste encore deux.*

     — *Non, il n'en reste plus.*

— *Vous voulez encore du café?*   — *Non, merci, plus de café pour moi!*

À toi de parler!

❶ Oui, merci, je veux bien.

— Tu veux encore de l'eau?

— Oui, merci, je veux bien. Ton eau
est bonne!

| **eau** → soupe, fromage, viande, café,
frites...

❷ Moi, j'en fais beaucoup!

— Elle fait du sport?

— Non, elle ne fait pas de sport
du tout!

— Moi, j'en fais beaucoup.

| **faire** → avoir, boire, manger, acheter,
lire...

| **sport** → fièvre, café, salade, fruits, argent,
bandes dessinées, journaux...

❸ C'est vrai?

— C'est vrai? Il faut boire de l'eau?

— Oui, c'est vrai, bois de l'eau!

| **boire de l'eau** → tourner à droite, passer
par ici, manger moins de sucreries, travailler plus, rester au lit, prendre le bus,
partir d'ici, prendre l'autoroute...

❹ Il y en a encore?

— Il y a encore des frites, non?

— Non il n'y en a plus.

| **Il y a** → vouloir, manger, boire, prendre...

| **non** → oui, non merci, oui merci

| **frites** → eau, gâteaux, chocolat, raisin,
fruits...

❺ Qu'est-ce que c'est?

— Qu'est-ce que tu manges?

— De la viande, pourquoi?

— Tu aimes la viande?

— Oui, j'en mange tous les jours.

| **viande** → eau, soupe, fromage, frites,
fruits, chocolat, raisin, pain...

Activités complémentaires dans le *Cahier d'activités* p. 74 à 76

À toi de
jouer !

1 **Ils ont des goûts bizarres !**

— Moi, le matin, je mange du fromage.
— Du fromage le matin ?!
— Mais oui, j'adore le fromage, pas toi ?
— Moi ? Pas du tout. Moi, le matin, …

Continuez la conversation à deux.

HEIN, QUOI ?
DE LA VIANDE AU
PETIT DÉJEUNER ?
ÇA VA PAS ?

2 **Au contraire…**

Complétez les conversations puis jouez-les et écoutez-les.

a. — Elle … ?
— Non, au contraire, elle parle …
b. — Il y a trop …
— Au contraire, …
c. — … !
— Non, elle est assez chaude.
d. — Il y a encore …
— Au contraire, …, je crois.

3

Logo-rallye

Faites une phrase avec les mots suivants (dans l'ordre ou le désordre).

Exemple : mois / par / eau / boire → En général, ils boivent 20 litres d'eau minérale par mois.

a. vraiment / très / mais / ne…plus

....

b. faim / avoir / assez / pas / plus tard / soir

....

c. préférer / détester / chez elle / rester / amis

....

d. seulement / ne… pas / à droite / carrefour / avant / aller

....

4 L'interview de Laura Perrier

Imaginez et jouez l'interview par le / la journaliste qui a écrit l'article.

LAURA PERRIER

Pourquoi elle est toujours en forme?

Le matin, au petit déjeuner, je mange bien : du pain, des fruits, et je bois beaucoup d'eau et un peu de café. À midi, je mange du fromage ou un peu de viande, de la salade, encore des fruits. Le soir je ne mange pas beaucoup, de la soupe par exemple. Mais je mange aussi du chocolat; j'adore le chocolat. Je mange du pain à tous les repas : je suis bien française ! Je ne bois jamais d'alcool et je ne fume pas. Et je vais travailler tous les jours à pied. Je prends le bus ou un taxi seulement quand il pleut. Et je me couche tôt au moins un jour par semaine.

5

Au restaurant : jeu de rôles

A entre dans un restaurant. B travaille dans ce restaurant.

Choisissez votre rôle (A ou B) et regardez les fiches de jeux de rôles dans le *Cahier d'activités* (A, p. 12 ; B, p. 55) avant de jouer à deux.

6

L'interview de Nicolas Deferre

Écoutez la conversation et continuez l'article sur Nicolas Deferre.

NICOLAS DEFERRE

Le secret de sa forme

Tout le monde connaît Nicolas Deferre. C'est un grand sportif, et il est toujours en forme. Comment est-ce qu'il fait ? C'est très simple. D'abord...

Autres activités voir *Cahier d'activités* p. 77 à 78

Les Français

Les Français vus de l'étranger.

Est-ce que les Français sont comme ça ? Est-ce que le Français moyen existe ?
Il y a 61 millions d'habitants en France. Des Français, il y en a des petits et des
grands, des très blonds et des très bruns. Il y a des Français catholiques (68 %),
des Français avec une autre religion (musulmans, protestants, etc.), et il y en
a qui n'ont pas de religion (25 %).

Il y a des Français avec des noms d'origine yougoslave, italienne, espagnole,
arabe, arménienne, germanique, africaine ou asiatique ; il y en a qui parlent
aussi le breton, le corse, le basque ou l'alsacien.

Il y a des Français avec
des « piercing », ou
avec les cheveux teints
et d'autres qui préfèrent
le béret basque. Il y a
des Français qui boivent
du vin, et d'autres qui
n'en boivent jamais. Il
y a des Français qui
aiment la chanson ou
la musique classique ;
il y en a qui préfèrent
le rap, le rock ou le
jazz ; et il y en a, bien
sûr, qui détestent la
musique.

Il y a des agriculteurs (1,3 %), des ouvriers (13 %), des lycéens ou étudiants (10 %), des infirmiers (6,8 ‰), des médecins (3,3 ‰), des dentistes (0,7 ‰), des employés de bureau (6,6 %), des chômeurs qui cherchent du travail (10 %), des avocats, des architectes, des secrétaires, etc.

Il y a des Français qui sont sportifs, d'autres qui font du sport devant leur télévision, et d'autres qui détestent le sport. Mais tous les Français disent « Cocorico! » quand l'équipe française gagne la Coupe du monde de football.

❶ Géographie des langues en France

Au nord, au sud, à l'est, à l'ouest, ils sont français mais ils parlent aussi une autre langue.

Quelle est la phrase en alsacien, en occitan, en ... ? (Essayez de deviner.)

Français : Mon tailleur est riche

a. Minner schneider isch risch.
b. U me taillore e ricchu.
c. Pinvidik eo va c'hemener.
d. Myn klees maker ess rycke.
e. Lo meu talhur es ric.
f. Ene dendaria aberatsa da.

1. basque
2. breton
3. flamand
4. corse
5. alsacien
6. catalan

❷ Interview d'un jeune Français

ED 🗣 **Est-ce que vous êtes d'accord avec Valentin ?**

PF 🗣 **Écoutez encore puis faites des interviews sur le piercing dans votre classe.**

❸ ✎ **À vous :** deux par deux, présentez les habitants de votre pays par écrit.

PF

Mémo *(septième épisode)*

----> Rencontre

1 « Pardon monsieur, vous connaissez la ville ?
— Un peu.
— Je cherche l'hôtel du Parc.
— L'hôtel du Parc ? C'est amusant : c'est mon hôtel, j'y ai une chambre. C'est là-bas. Vous prenez l'avenue ct ensuite la deuxième à gauche. Ce n'est pas loin, c'est à 300 mètres.
— C'est un bon hôtel ?
— Non, il n'est ni bon ni beau, mais il n'est pas cher. Pour les étudiants, c'est bien. Il y un autre hôtel en face de l'hôtel du Parc : il s'appelle l'hôtel du Centre. Il est meilleur, mais il est plus cher... Vous êtes d'où ?
— Je suis mexicain, de Guayaquil.
— Ah... Guayaquil... c'est loin, c'est très loin... Et qu'est-ce que vous faites ? Vous êtes étudiant ?

— Oui, et vous, vous êtes d'où ? Vous n'êtes pas français, non ?
— Non, moi je suis allemand, de Hambourg. Ce n'est pas aussi loin que... heu... Guayaquil... et je suis étudiant moi aussi.
— Ah, c'est sympa ça...
— Oui... vous parlez bien français... Évidemment, pour vous, le français, c'est facile... L'espagnol et le français sont des langues latines.
— Oh, ce n'est pas très difficile, c'est vrai. C'est plus difficile pour vous peut-être...
— Oui, pour moi, c'est assez compliqué. Dites, je vais à l'université, maintenant. Et vous, vous allez à l'hôtel ?
— Oui, j'y vais... À ce soir peut-être ?
— D'accord, à ce soir ! Euh... je m'appelle Dieter Schwartz. »

2 « Et voilà, je suis allemand. Je suis étudiant à Grenoble, j'apprends le français et
je suis à l'hôtel du Parc... J'aime avoir des amis, j'ai beaucoup d'amis (et
d'amies aussi) à Hambourg. Mais ici, je suis seul. Aujourd'hui, j'ai rencontré un
Mexicain sympathique, un Mexicain qui parle français. Il est grand, sportif et il
s'appelle... il s'appelle... je ne sais pas. Peut-être Pedro ou Luis... Oui, mais
« mon » Mexicain n'est pas très mexicain. C'est curieux : il parle français,
il parle très bien français. Il n'est pas brun, il n'est pas petit, il n'a pas de
guitare. Il n'est peut-être pas mexicain ? Bof ! Moi, je suis petit et brun et
je suis allemand... Pour les Français, tous les Allemands sont grands, blonds
et sportifs, c'est amusant mais ce n'est pas vrai... Il est de Guayaquil...
Guayaquil ? C'est une ville du Mexique, ça ? »
Il est 8 heures du soir. À l'hôtel du Parc, les clients regardent la télévision.
Dieter Schwartz voit dans l'entrée l'étudiant mexicain. Il parle avec la récep-
tionniste de l'hôtel (elle est jeune et jolie). Dieter vient près du Mexicain :

« Bonsoir.
— Oh ! C'est vous ? Alors, vous avez une chambre ici ?
— Oui, oui, j'habite ici. Et vous aussi, maintenant ?
— Oui, moi aussi j'habite ici depuis... cet après-midi !
— C'est très bien. Euh... je me présente, je m'appelle Dieter
Schwartz, et vous ?
— Moi, je m'appelle José, José Legrand... Mais dans mon pays,
on se dit « tu », et puis, entre étudiants du même âge, c'est
plus facile, non ?
— D'accord... Mais vous, pardon, tu es mexicain et tu
t'appelles Legrand ?

— Oui, tu comprends... ma famille est d'origine française... Mais je ne suis pas mexicain. Je suis équatorien... Eh oui, l'Équa-
teur, ça n'existe pas pour les Européens. Ils
ne sont pas très forts en géographie ! Pour
tout le monde ici, je suis mexicain, parce
que "Où c'est Guayaquil ? Ça existe,
Guayaquil ?"
— Ah ! Ah ! Ah ! Moi, j'ai une grand-mère
française : elle s'appelle Marie Schneider...
— Schneider ? Ce n'est pas un nom allemand ça ?
— Si, mais c'est aussi un nom français : ma
grand-mère est alsacienne.
— Ah, je comprends ! Alors, ça fait un
Allemand alsacien et un Mexicain français
et équatorien ! Nous sommes internationaux ! Dis, on peut aller prendre un café ?
    — D'accord, José l'international ! »

Oral collectif

1 Annonces à l'aéroport

Écoutez et complétez.

Numéro du vol			
Nouvelle heure de départ			

2 Le matin

Écoutez et cochez la bonne réponse.

a. Elle va au collège
- ☐ en bus
- ☐ à pied
- ☐ à vélo
- ☐ en métro

b. Elle part le matin
- ☐ avant 7 h 15
- ☐ vers 7 h 30
- ☐ entre 7 h 30 et 7 h 45
- ☐ après 7 h 45

c. Le déjeuner, elle l'aime
- ☐ un peu
- ☐ beaucoup
- ☐ pas du tout

Oral individuel

Jeu de rôles : chez le médecin

Vous ne vous sentez pas bien. Vous prenez rendez-vous chez le médecin, au téléphone.

Aide : s'appeler, âge, mal à / fièvre / depuis / quand : jour + heure / …

Écrit

Vous voulez passer une semaine en France et vous écrivez un mot à un ami français.

Aide : Bonjour… / Ici, ça va bien, mal… / J'ai envie de…France / musées / restaurant / Tu habites… / (date)… possible chez toi ?

Évaluation

1 Expression orale *(30 points)*

Trouvez les questions du médecin (...?)

— (… ?)
— Noraz, Jacques Noraz.
— (… ?)
— Je suis ingénieur.
— (… ?)
— 01 45 67 89 09.
— (… ?)
— Au dos.
— (… ?)
— Depuis une semaine.
— (… ?)
— Dans une petite usine.
— (… ?)
— Oui, je travaille beaucoup.
— (… ?)
— Non, pas le samedi, ni le dimanche.
— (… ?)
— Non, tôt : je suis au lit à 10 h, tous les soirs.
— (… ?)
— Des médicaments ? Non, je n'en prends jamais.

2 Connaissance de la langue *(10 points)*

Complétez (1 ou 2 mots)

1. — Je bois … eau minérale et je mange … fruits, beaucoup … fruits.
  — Vous … beaucoup … eau minérale ?
  — Oui, j'ai toujours très …

2. — Vous … tôt le matin ?
  — Oui, à 6 h. Je pars … maison à 7 h et j'arrive … bureau à 7 h 30.
  — Le dimanche aussi ?
  — Non. Le dimanche, je me lève …

3 Expression écrite *(20 points)*
Racontez la journée classique d'une personne (réelle ou imaginaire)
avec 10 phrases et 10 verbes minimum.

Les déterminants

	Articles définis			Art. indéfinis	Art. partitifs	Adj. démon- stratifs	Adjectifs possessifs						Adj. interro- gatifs	Adj. indéfi- nis*
		avec à	avec de											
masculin (devant a, e, i, o, u)	le l'	au à l'	du de l'	un	du de l'	ce cet	mon	ton	son	notre	votre	leur	quel	tout
féminin (devant a, e, i, o, u)	la l'	à la à l'	de la de l'	une	de la de l'	cette	ma mon	ta ton	sa son	notre	votre	leur	quelle	toute
pluriel	les	aux	des	des		ces	mes	tes	ses	nos	vos	leurs	quels quelles	tous toutes

* Utilisés avec un autre déterminant : tout le…, toute la…, tous mes…, toutes leurs…

L'interrogation

1. Question sans verbe
– Vous ? Vous ici ? Et eux ? Avec Élodie ?
– Qui ? Pourquoi ? Depuis quand ? Avec quoi ?
À quelle heure ?

2. Question avec verbe à l'infinitif
Être ou ne pas être ? Que faire ? Comment y aller ?
Pourquoi partir ?

3. Phrases interrogatives

a. Avec *est-ce que*
Est-ce que tu es d'accord ?
Pourquoi est-ce qu'il part ?
Qu'est-ce qu'elle fait ?

Ce modèle est le modèle courant : il s'utilise surtout quand on parle, mais aussi à l'écrit.

b. Sans *est-ce que*
Tu es d'accord ?
Pourquoi il part ?

Ce modèle est utilisé quand on parle.

c. Peu utilisé, et seulement quand on écrit :
Es-tu d'accord ?
Pourquoi part-il ?
Que fait-elle ?

L'accord des adjectifs qualificatifs

1. Féminin (+e) – Pluriel (+s) – Féminin pluriel (+es)
– Il est amusant, elle est amusante, ils sont amusants, elles sont amusantes

– un livre compliqué, une histoire compliquée, des livres compliqués, des histoires compliquées (compliqué, marié, désolé…)
– un garçon brun [brœ̃], une fille brune [bryn]
– un garçon blond, une fille blonde [blõd]
– un mauvais [movε] travail, une mauvaise [movεz] grippe

2. Cas particuliers
• e + e ; s + s, x + s = impossible
– il est anglais, ils sont anglais
– il est bête (jeune, libre, mince, rapide, sympathique, tranquille), elle est bête (jeune, libre, mince, rapide, sympathique, tranquille)
– il est vieux, ennuyeux, dangereux, il sont vieux, ennuyeux, dangereux
• en → enne au féminin
– un film italien, une voiture italienne
– un pays européen, des villes européennes
• cher → chère au féminin
• premier, dernier → première, dernière [iεr] au féminin
• bon, gros → bonne, grosse au féminin.
• beau, nouveau → elle est belle, nouvelle au féminin,
• elles sont belles, nouvelles → ils sont beaux, nouveaux au singulier pluriel
• turc, grec → elle est turque, grecque au féminin
• dangereux, ennuyeux → elle est dangereuse, ennuyeuse [øz] au féminin
• vieux → elle est vieille au féminin
• international, génial → ils sont internationaux; géniaux au masculin pluriel
• vieux, beau et nouveau au masculin, devant a, e, i, o, u → C'est un vieil ami [viεjami],
• un bel [bεl] appareil photo, un nouvel [nuvεl] élève.

La place des adjectifs qualificatifs

En général, l'adjectif est avant le nom :
→ *C'est un travail compliqué, une histoire amusante.*
… sauf pour *grand, petit, vieux, jeune, nouveau, bon, mauvais, beau.*
→ *C'est une grande maison, un petit jardin, un vieux CD, un jeune garçon,*
une nouvelle BD, un bon travail, un mauvais jour, une belle voiture.

Attention ! *vieux, beau* et *nouveau* au masculin, devant *a, e, i, o, u* → *vieil, bel, nouvel*
→ *c'est un vieil ami* [vjɛjami], *un bel* [bɛl] *appareil photo, un nouvel* [nuvɛl] *élève.*

La conjugaison du français parlé

1. Quatre verbes à connaître par cœur

a. être [ɛtr]		b. Avoir [avwar]		c. Faire [fɛr]		d. Aller [ale]	
[sɥi]	je suis	[ɛ]	j'ai	[fɛ]	je fais	[vɛ]	je vais
[ɛ]	tu es	[a]	tu as	[fɛ]	tu fais	[va]	tu vas
[ɛ]	il est	[a]	il a	[fɛ]	il fait	[va]	il va
[ɛ]	elle est	[a]	elle a	[fɛ]	elle fait	[va]	elle va
[nɛ]	on est	[na]	on a	[fɛ]	on fait	[va]	on va
[sɔm]	nous sommes	[zavõ]	nous avons	[fəzõ]	nous faisons	[zalõ]	nous allons
[zɛt]	vous êtes	[zave]	vous avez	[fɛt]	vous faites	[zale]	vous allez
[sõ]	ils sont	[zõ]	ils ont	[fõ]	ils font	[võ]	ils vont
[sõ]	elles sont	[zõ]	elles ont	[fõ]	elles font	[võ]	elles vont

2. Les verbes réguliers en -er

Il y en a beaucoup en français : *adorer, aimer, arrêter, arriver, chanter, chercher, conseiller, se coucher, déjeuner, se dépêcher, détester, dîner, entrer, habiter, manger, parler, passer, porter, quitter, se reposer, ressembler, rester, retourner, tourner, travailler, trouver…*

a. parler [parle]		b. préférer [prefere]		c. Acheter [aʃəte]	
[parl]	je parle	[prefɛr]	je préfère	[aʃɛt]	j'achète
	tu parles		tu préfères		tu achètes
	il/elle/on parle		il/elle/on préfère		il/elle/on achète
	ils /elles parlent		ils/elles préfèrent		ils/elles achètent
[parlõ]	nous parlons	[preferõ]	nous préférons	[aʃətõ]	nous achetons
	vous parlez		vous préférez		vous achetez

Attention ! manger → nous mang**eo**ns [mãʒõ] – commencer → nous commençons [kɔmãsõ]

d. ennuyer [ãnɥje]		e. épeler [eple]		
[ãnɥ]	j'ennuie	[epɛl]	j'épelle	2.c : même chose pour *se lever*
	tu ennuies		tu épelles	
	il/elle/on ennuie		il/elle/on épelle	2.d : même chose pour *s'ennuyer*
	ils/ellesennuient		ils/elles épellent	
[ãnɥjõ]	nous ennuyons	[epəlõ]	nous épelons	2.e : même chose pour *s'appeler*
	vous ennuyez		vous épelez	

3. Les autres verbes à 2 formes

a. connaître [kɔnɛtr]	b. dormir / sortir	c. lire / vivre
[kɔnɛ] je connais tu connais il/elle/on connaît	[dɔr] / [sɔr] je dors / sors tu dors / sors il/elle/on dort / sort	[li] /[vi] je lis / vis tu lis / vis il/elle/on lit / vit
[kɔnɛs] nous connaissons vous connaissez ils/elles connaissent	[dɔrm]/ [sɔrt] nous dormons vous dormez ils/elles dorment	[liz] / [viv] nous lisons / vivons vous lisez / vivez ils/elles lisent . vivent
naitre comme *connaître*	*partir, se sentir* comme *sortir*	*écrire* comme *vivre*

d. entendre	e. savoir	f. plaire
[ãtã] j'entends tu entends il/elle/on entend	[sɛ] je sais tu sais il/elle/on sait	[plɛ] je plais tu plais il/elle/on plaît
[ãtãd] nous entendons vous entendez ils/elles entendent	[sav] nous savons vous savez ils/elles savent	[plɛz] nous plaisons vous plaisez ils/elles plaisent

g. croire / voir
[krwa] / [vwa] je crois / vois tu crois / vois il/elle/on voit / croit ils/elles croient
[krwaj] / [vwaj] nous croyons vous croyez

4. Les verbes à 3 formes

a. boire	b. devoir
[bwa] je bois tu bois il/elle/on boit	[dwa] je dois tu dois il/elle/on doit
[byvõ] nous buvons vous buvez	[dəvõ] nous devons vous devez
[bwav] ils/elles boivent	[dwav] ils/elles doivent

c. prendre / comprendre	d. venir / se souvenir	e. pouvoir
[prã] je prends tu prends il/elle/on prend	[vjɛ̃] je viens tu viens il/elle/on vient	[pø] je peux tu peux il/elle/on peut
[prənõ] nous prenons vous prenez	[vənõ] nous venons vous venez	[puvõ] nous pouvons vous pouvez
[prɛn] ils/elles prennent	[vjɛn] ils viennent	[pœv] ils/elles peuvent

f. vouloir	g. dire	h. pleuvoir / falloir
[vø] je veux tu veux il/elle/on veut	[di] je dis tu dis il/ elle/ on dit	[plø] il pleut [fo] il faut
[vulõ] nous voulons vous voulez	[dizõ] nous disons ils disent	
[vœl] ils/elles veulent	[dit] vous dites	

LEXIQUE

– L'unité où le mot apparaît pour la première fois est indiquée entre parenthèses : (2).

– Les adjectifs sont suivis de leur terminaison au féminin (- signifie que le féminin est identique au masculin) et au pluriel pour les cas particuliers.

– Les noms sont suivis de *m.* pour masculin et *f.* pour féminin et de la terminaison du pluriel si elle est particulière. Si le nom a une forme féminine, elle est indiquée ainsi : *acteur m. / actrice f.*

– Pour les verbes, un numéro entre parenthèses précédé de C (C. 4c), renvoie à la conjugaison p. 121 et 122 (sauf pour les verbes réguliers en -*er*).

d'abord (10)
absent-e (14)
accent *m.* (4)
d'accord (4)
acheter (15) (C.2c)
acteur *m.* / actrice *f.* (5)
adorer (11)
adresse *f.* (5)
âge *m.* (12)
agent *m.* (10)
agriculteur *m.* /-rice *f.* (5)
aigu-ë (4)
aimer (11)
allemand-e (2)
aller (5) (C. 1c)
aller *m.* (13)
allô ? (7)
alors (2)
américain -e (2)
ami *m.* /-e *f.* (6)
amusant-e (11)
anglais-e (2)

anniversaire *m.* (5)
août *m.* (8)
apostrophe *f.* (4)
appareil photo *m.* (6)
appartement *m.* (7)
appeler (14) (C. 2e)
s'appeler (4)
appétit *m.* (15)
après (10)
après-midi *m.* (13)
architecte *m/f* (5)
argent *m.* (7)
argentin-e (2)
armoire *f.* (7)
arrêter (14)
arriver (10)
assez (14)
attends ! (6)
attendre (10) (C 3d)
attention ! (9)
au / en (8)
au revoir (7)

aujourd'hui (8)
aussi (5)
aussi… que (11)
automne *m.* (8)
autoroute *f.* (10)
autre (4)
en avance (13)
avant (10)
avec (4)
avion *m.* (10)
avocat m. /-e *f.* (5)
avoir (6) (C. 1b)
avoir froid/chaud (8)
avril (8)
BD *f.* (6)
bain *m.* (14)
baladeur *m.* (6)
bande dessinée *f.* (6)
banque *f.* (9)
bar *f.* (9)
barbe *f.* (12)
bateau *m.* (10)

beau / belle (8)
beaucoup (11)
beaucoup de (6)
bébé *m.* (12)
belge - (2)
bête - (11)
bicyclette *f.* (10)
bien (3)
bien sûr (2)
à bientôt (8)
blond-e (11)
*bof ! (9)
*boîte *f.* (13)
bon / bonne (11)
bon ! (4)
bonjour (3)
bonsoir (5)
*bouffe *f.* (15)
*boulot *m.* (13)
bras *m.* (14)
brésilien -nne (2)
brun -e (11)
bureau *m.* (13)
bus *m.* (10)
CD *m.* (6)
c'est ça (4)
ça va (3)
cabine téléphonique *f.* (9)
cabinet *m.* (14)
café *m.* (9)
cafétéria (*cafét.) *f.* (13)
canadien -nne (2)
carrefour *m.* (10)
carte postale *f.* (8)
cassette *f.* (11)
cassette vidéo *f.* (12)
cave *f.* (7)
cédille *f.* (4)
chaîne *f.* (13)
chaise *f.* (7)
chambre *f.* (7)
chanter (6)
chanteur *m.* /-euse *f.* (6)
chat *m.* / chatte *f.* (6)
chaud -e (8)
cher -ère (11)
chercher (7)
cheval -aux *m.* (10)
chez (6)
chien *m.* (6)
chilien -nne (6)
chinois -e (6)
chocolat *m.* (15)
cinéma *m.* (9)
circonflexe - (4)
coca *m.* (15)

au coin de (9)
collégien -nne (5)
combien (6)
comme (3)
commencer (13)
comment (4)
compliqué -e (6)
comprendre (4) (C. 4c)
confortable - (11)
connaître (12) (C. 3a)
conseil *m.* (15)
conseiller (14)
console *f.* (6)
contraire *m.* (11)
copain / copine *m/f.* (11)
correspondant *m.* (12)
à côté de (9)
se coucher (13)
couple *m.* (12)
cousin *m.*/ -e *f.* (12)
croire (12) (C. 3h)
croissant *m.* (15)
cuisine *f.* (7)
faire la cuisine (15)
d'où ? (4)
dangereux -euse (14)
danois -e (2)
dans (7)
date *f.* (8)
de / d' (4)
décembre (8)
déjeuner (13)
déjeuner *m.* (13)
demie *f.* (13)
dent *f.* (14)
dentiste *m./f.* (5)
se dépêcher (13)
depuis (14)
dernier -ère (10)
derrière (7)
désert *m.* (9)
désolé -e (9)
détester (11)
devant (7)
devoir (14) (C. 4b)
difficile - (15)
dimanche *m.* (13)
dîner *m.* (13)
dire (12) (C.5)
dis ! (7)-dites ! (9)
discothèque *f.* (13)
domicile *m.* (12)
donc (13)
dormir (13) (C. 3b)
dos *m.* (14)
douche *f.* (13)
tout droite (10)

à droite de (7)
drôle de (15)
eau minérale *f.* (15)
école *f.* (9)
écrire (4) (C. 3c)
église (9)
eh bien (7)
élève *m./f.* (11)
emploi du temps *m.* (13)
employé /-e *m./ f.* (12)
en (8)
en (15)
encore (12)
enfant *m./f.* (7)
ennuyer (15) (C. 2d)
s'ennuyer (11)
ennuyeux -euse (11)
ensemble (12)
ensuite (10)
entendre (11) (C. 3d)
entre (7)
entrée *f.* (7)
entreprise *f.* (12)
avoir envie de (14)
épeler (4) (C. 2e)
espagnol - e (2)
est (10)
et (2)
étage *m.* (9)
étagère *f.* (7)
été *m.* (8)
étranger -ère (5)
être (2) (C. 1a)
étudiant *m.* /-e *f.* (5)
euh… (3)
européen -nne (2)
excusez-moi (9)
par exemple (15)
en face de (9)
faim *f.* (8)
faire (5) (C. 1c)
au fait (8)
ça fait combien ? (6)
il fait quel temps ? (8)
famille *f.* (12)
fatigant -e (11)
fatigué -e (14)
il faut (14)
fauteuil *m.* (7)
fenêtre *f.* (7)
festival *m.* (4)
fête *f.* (15)
février (8)
fièvre *f.* (14)
fille *f.* (11)
au fond de (9)
en forme (14)

fou /folle (11)
français -e (2)
frère m. (12)
frite f. (15)
froid -e (8)
fromage m. (7)
fruit m. (15)
fumer (14)
garage m. (7)
garçon m. (11)
gâteau -x m. (15)
à gauche dc (7)
geler (8)
gendarmerie f. (9)
en général (13)
génial -e -aux (11)
genre m. (i12)
gens m.pl. (12)
gorge f. (14)
goût m. (15)
grand -e (10)
grand-mère f. (12)
grand-père m. (12)
grave (accent) (4)
grave -e (14)
grec -que (2)
grenier m. (7)
grippe f. (14)
gros -sse (11)
guitare f. (6)
guyanais -e (4)
habitant -e m/f. (10)
habiter (5)
hein ? (7)
heure f. (13)
hier (14)
histoire f. (7)
hiver m. (8)
hollandais -e (4)
hôpital m. (6)
hôtel m. (9)
ici (9)
il y a (9)
impossible - (14)
infirmerie f. (15)
informaticien m. -nne f. (5)
international -e - aux (6)
italien -nne (2)
ne…jamais (13)
jambe f. (14)
janvier (8)
japonais -e (6)
jardin m. (7)
je vous en prie (11)
jeu -x m. (6)
jeudi m. (13)
jeune - (11)

jour (8)
journal -aux m. (13)
journaliste m./f. (5)
journée f. (13)
juillet (8)
juin (8)
jusqu'à (10)
kilomètre / km m. (9)
là (7)
là-bas (9)
lait m. (15)
langue f. (4)
légume m. (15)
lettre f. (8)
se lever (13) (C. 2e)
libre - (13)
lire (13) (C. 3c)
lit m. (7)
livre m. (6).
loin de (10)
lundi m. (13)
lunettes f. pl. (12)
lycéen m./ -nne f. (5)
madame f. (5)
mademoiselle f. (5)
mai (8)
main f. (14)
maintenant (8)
mairie f. (9)
mais (5)
maison f. (6)
majuscule - (4)
mal (3)
avoir mal (14)
malade - (14)
maman f. (7)
manger (13) (C. 2a)
mardi m. (13)
mari m. (12)
marié -e (12)
marocain -e (2)
*marrant -e (11)
mars (8)
matin m. (13)
mauvais -e (8)
médecin m./f. (5)
médicament m. (14)
meilleur -e… que (11)
même (12)
mer f. (10)
merci (3)
mercredi m. (13)
mère f. (12)
mètre m. (9)
métro m. (10)
mexicain -e (2)
midi m. (13)

mieux (14)
mince - (11)
minuit m. (13)
minuscule - (4)
minute f. (10)
*moche - (11)
moi (2)
moins (6)
moins… que (11)
tout le monde (8)
monsieur m. (5)
montagne f. (10)
montre f. (6)
moto f. (6)
motoneige f. (11)
musée m. (10)
musique f. (15)
né(e) (naître) (12)
ne… pas (3)
néerlandais -e (4)
neiger (8)
ne… ni… ni (13)
Noël (5)
nom m. (5)
non (2)
nord m.(10)
norvégien -ne (6)
nouveau -elle -eaux (10)
novembre (8)
nuit f. (8)
nul -lle (11)
numéro m. (6)
œil m./yeux m. pl. (14)
œuf m. (15)
omelette f. (15)
oncle m. (12)
ordinateur m. (6)
ordonnance f. (14)
oreille f. (14)
ou (4)
où ? (7)
ouest m. (10)
oui (2)
ouvrier m./ ère f. (5)
pain m. (15)
papa m. (7)
*papi m. (7)
Pâques m. (5)
par (10)
parce que (11)
pardon ? (4)
parents m. pl. (7)
parler (2)
partir (13) (C. 3b)
partout (14)
pas mal (3)
passer (10)

pauvre - (11)
penser (15)
père *m.* (12)
petit -e (10)
petit déjeuner *m.* (13)
un peu (2)
à peu près (10)
peur *f.* (8)
peut-être (9)
photographe *m./f.* (5)
à pied (10)
pied *m.* (14)
place *f.* (9)
plaire (11) (C. 3f)
pleuvoir (8) (C. 6)
pluie *f.* (8)
plus (6)
plus… que (11)
ne… plus (15)
police *f.* (7)
pont *m.* (9)
portable *m.* (6)
porter (12)
portugais -e (2)
poste *f.* (9)
poupée *f.* (6)
pourquoi (11)
pouvoir (14) (C. 4e)
préférer (11) (C. 2b)
premier -ère (8)
prendre (10) (C. 4c)
prénom *m.* (5)
près de (9)
prêt -e (2)
je vous en prie (11)
printemps *m.* (8)
professeur *m./f.* (5)
profession *f.* (5)
programme *m.* (13)
ça se prononce (4)
province *f.* (10)
qu'est-ce que (6)
quand (8)
quart *m.* (13)
québécois -e (4)
quel / quelle (7)
question *f.* (12)
quitter (13)
quoi ? (2)
raisin *m.* (15)
rapide - (11)
regarder (12)
région *f.* (10)
se reposer (14)
ressembler à (12)
restaurant (*restau) *m.* (9)

rester (13)
en retard (13)
retour *m.* (13)
retourner (13)
au revoir (7)
rhume *m.* (14)
riche - (11)
ne… rien (15)
route *f.* (10)
rue *f.* (9)
russe - (6)
s'il vous plaît (9)
sain -e (15)
saison *f.* (8)
salade *f.* (15)
salle à manger *f.* (7)
salle de bains *f.* (7)
salon *m.* (7)
salut (3)
santé *f.* (14)
sauf (13)
savoir (7) (C. 3e)
secrétaire *m./f.* (5)
séjour *m.* (7)
se sentir (14) (C. 3b)
septembre (8)
seulement (9)
si ! (8)
siamois -e (6)
simple - (10)
situé -e (10)
sœur *f.* (12)
soif *f.* (8)
soir *m.* (13)
sommeil *m.* (14)
sortir (13) (C. 3b)
soupe *f.* (15)
sous (7)
se souvenir de (10) (C. 4d)
sport *m.* (11)
sportif - ive (11)
station *f.* (9)
sucre *m.* (15)
sucrerie *f.* (14)
sud *m.* (10)
suédois -e (2)
suisse - (2)
*super (11)
supermarché *m.* (9)
sur (7)
sympathique - (*sympa) (11)
table *f.* (7)
tante *f.* (12)
tard (13)
taxi *m.* (9)
téléphone *m.* (7)

télévision (*télé) *f.* (6)
temps *m* (météo) (8)
temps *m* (13)
tête *f.* (14)
tiens ! (3)
toi (2)
toilettes *f. pl.* (9)
tôt (13)
toujours (13)
tourner (10)
tout droit (10)
tout le monde (8)
tout, tous, toute, toutes (13)
train *m.* (10)
trait d'union *m.* (4)
tranquille - (12)
travailler (10)
très (3)
trompette *f.* (6)
trop (14)
trouver (que) (11)
*truc *m.* (11)
turc -rque (2)
un peu (2)
uruguayen -ne (2)
usine *f.* (10)
vacances *f. pl.* (5)
valise *f.* (7)
végétarien -ne (15)
vélo *m.* (6)
vendredi *m.* (13)
vénézuélien -ne (2)
venir (15) (C 4d)
ventre *m.* (14)
vers (13)
viande *f.* (15)
vidéo *f.* (6)
vieux / vieille (11)
village *m.* (9)
ville *f.* (9)
vivre (13) (C. 3c)
voilà (11)
voir (7) (C. 3g)
voiture *f.* (10)
volontiers (15)
vouloir (12) (C. 4f)
voyons ! (8)
vraiment (14)
VTT *m.* (12)
WC *m. pl.* (9)
week-end *m.* (13)
y (10)
yeux *m. pl.* (14)
zéro *m.* (6)

Table des matières

Séquence 1

Séquence 2

Séquence 3

CRÉDITS

Direction éditoriale : Michèle Grandmangin

Édition : Raphaële Bail

Conception graphique et mise en page : Anne Danielle Naname

Photogravure : Tin Cuadra

Illustrations : Nicolas Attié p. 112, Laurent Audouin, Christian Quennehen (pages d'ouverture de séquences, d'unités et pages Lecture)

BD : Bernard Ciccolini (Mémo), Dominique Hé (La valise grise)

Couverture : Christian Blangez

Cartographie : Graffito

Recherche iconographique : Agnès Calvo

© CLE International/SEJER - 2004 - ISBN : 978-2-09-033375-6 - N° d'éditeur : 10186401 - CGI - Février 2012
Imprimé en France par I.M.E. - 25110 Baume-les-Dames